宽容是件奢侈品

人生360度

一分钟经典故事

康桥／编著
潘方尔／绘

上海辞书出版社

目录

1. 管理保障秩序

2. 鼓励激发潜能

3. 宽容拓宽天地

4. 沟通消除误解

5. 幽默就是真话

6. 团队促进成长

7. 人才决定未来

1.

管理
保障秩序

☞ 曾经有一位大学老师，有一门课，他已经教了几十年，但每一次都讲得非常精彩。问其原因，他回答说，对于我是第几百次，但对于在座的每一个学生来说，却是唯一的一次。

☞ 事后控制不如事中控制，事中控制不如事前控制。

☞ 不要把简单的问题复杂化。真理只有一条，歪理有千千万万条。这就是为什么10 岁前的孩子，最好不要去看脑筋急转弯。

☞ 到了一定的境界，世界上的人做事情，大致分为两种：一种是举轻若重，如诸葛亮，事必躬亲，如履薄冰；另一种是举重若轻，如周瑜，谈笑间樯橹灰飞烟灭。

故事 1

逃离高笼的袋鼠

有一天，动物园的管理员发现袋鼠从笼子里跑出来了。

于是，他们开会讨论，一致认为是笼子的高度过低，从而导致袋鼠从笼子里跳了出来。所以，他们决定将笼子的高度由原来的 10 米加高到 20 米。谁知第二天，他们发现袋鼠依旧能够跑到外面来。所以，他们又决定再将高度加高到 30 米。

然而，谁也没有料到，第三天居然又看到袋鼠全跑到外面。于是，管理员们大为紧张，决定一不做二不休，索性将笼子的高度加高到 100 米："嘿嘿，这下子看你还能不能跳出如来佛的神掌？"

第四天，神了，袋鼠还是从笼子里跑了出来，而且还在与它们的好朋友长颈鹿聊天呢。

"你们看，这些人会不会再继续加高你们的笼子呢？"长颈鹿问。

"很难说，"袋鼠说，"如果他们再继续忘记关门的话！"

酷评

学会工作，理解管理

事有本末、轻重、缓急。关门是本，加高笼子是末，舍本而逐末，当然就不得要领了。其实，我们只要界定问题，判断出问题的重要性，把问题简单化、明确化、重要化，那么，问题就解决了一半。

可是，许多人往往是一叶障目，不见泰山。故事中的管理员抓不住问题的关键，在错误的地方白花力气。到头来，只会事倍功半。可见，舍本逐末的人，并不是不努力，而是没有找对地方。他们是典型的不知道自己不知道，以为自己很知道。只有虚心研究，才能找到正确的方法。我们在看别人办事的时候，似乎很轻巧。但如果仔细地去看门道，你就会发现，别人的轻巧，别人的成功，也是经历了无数艰难曲折，才找到窍门的。

管理创造秩序。如果管理没有规程，就是瞎指挥，不叫科学管理。在没有管理的前提下，效益其实是照样产生的。果树，没有管理也结果实。效益有，但没有管理，效益就增加不上去。管理上去后，果实更大更多更美味。目前家族式企业的通病是：有效益，没管理，作坊式。没有管理，其扩张就是由一个作坊扩展为几个作坊，还是作坊。所以，要引进科学管理，把作坊改造成企业。

管理保障秩序。规则就是保障，比如没有安全规则，也可以产生效益，但是出了安全事故，效益就降低了，管理就是防患于未然。但是，管理不直接产生效益，它只是保障体系。

管理创造增量。管理不直接产生效益，管理创造秩序，保障规则，而规则保障效益。管理是维持效益长期稳定产出的一种手段，其核心概念是分析、规划、控制、评估。管理产生增量，增加效益。

总之，我们要“学会工作，理解管理”，工作就是解决问题，管理就是防止问题的再发生，以及发生问题后有应对方案。

故事 2

这条小鱼在乎

在暴风雨后的一个早晨，一个男人来到海边散步。

他一边沿海边走着，一边注意到，在沙滩的浅水洼里，有许多被昨夜的暴风雨卷上岸来的小鱼。它们被困在浅水洼里，回不了大海了，虽然大海近在咫尺。

被困的小鱼，也许有成千上万条。不多久，浅水洼里的水就会被沙粒吸干，被太阳蒸干，这些小鱼都会干死。

男人继续朝前走。他忽然看见前面有一

个小男孩，走得很慢，而且不停地在每一个水洼旁弯下腰去——他在捡起水洼里的小鱼，并且用力把它们扔回大海。

男人停下来，注视着这个小男孩，看他拯救着小鱼们的生命。

终于，这个男人忍不住走过去，说道：“孩子，这水洼里有成千上万条小鱼，你救不过来的。”

“我知道。”小男孩头也不抬地回答。

“哦？那你为什么还在扔？谁在乎呢？”

“但是，这条小鱼在乎！”男孩儿一边回答，一边继续拾起一条鱼扔进大海，“这条在乎，这条也在乎！还有这一条、这一条、这一条……”

酷评

在乎每一条小鱼

即使是一条不起眼的小鱼，也是一条生命。它看重自己的生命，热爱自己的生命，而它的生命只有在大海里才有意义。

曾经有一位大学老师，有一门课，他已经教了几十年，但每一次都讲得非常精彩。问其原因，他回答说，对于我是第几百次，但对于在座的每一个学生来说，却是唯一的一次。

虽然我们救不了全世界的人，我们不能把爱撒播给全世界的人，但我们还是可以救一些人，爱一些人的。同时，我们也会得到拯救，得到爱。正是因为这样的拯救和爱的存在，我们的生活才会有所不同，才会变得更加美好。

这是我们能够做得到，并且一定会做得到的。

当然，如果这条小鱼已经死了，我们就不必非要把它扔回大海不可。

故事 3

沙漠种树

两人同时进入沙漠栽种胡杨树。

其中一个是老人，他待树苗成活后，每隔三天就要来给树苗浇水。

而另一个是年轻人，他等到树苗成活后，就来得很少。即使来了，也只是把被风吹倒的树苗扶一把，从不浇水。

两年之后，两片胡杨树都长得有茶杯粗了……

忽然有一天卷起沙尘暴，第二天风停后，人们惊讶地发现：老人种的树几乎都被风刮倒，有的甚至连根拔起。而年轻人种的树，只是被风吹折了一些树枝和树叶。

老人不解地问年轻人，年轻人答道："你经常给树浇水施肥，它们的根就不往泥土深处扎。而我把树栽活后，就不再去理睬它，逼得它们不得不把自己的根一直扎进地底下的泉源中去。有这么深的根，这些树怎么会倒呢？"

酷评

根深才能叶茂

这个故事给我们的一个启示是：根深才能叶茂。面对险恶的自然环境（沙漠，而不是沃土），胡杨树的生存之道只能是把根深深地扎进泥土之中，只有这样，它才能枝繁叶茂。人也一样。我们生存的环境，永远不会是尽善尽美的。相反，我们常常会面对逆境。因此，我们只有打好人生的基础，才会有一个欣欣向荣、繁花似锦的未来。

这个故事给我们的另一个启示是：要经

风雨、见世面。只有能上能下，才是真汉子。既然面对的是逆境，那么，我们就要在人生的风风雨雨中锻炼成长。只有这样，我们才能战胜一次次的磨难。每一次，我们都把逆境看作是一种磨砺，看作是一种考验，看作是自己获胜的机会，把命运的不公看作是成功的机遇。

这个故事给我们的第三个启示是：拒绝过度的关爱。没有人可以代替我们去成长，所以，我们要尽快与自己的家庭在心理上断乳。我们需要关爱，但我们拒绝过度的关爱。过度的关爱，反而会阻碍我们成长。

总之，我们要成长、要发展，没有什么可以阻碍我们。我们一往无前。

故事4

且慢下手

大多数的同仁都很兴奋，因为单位里调来一位新主管，据说是个能人，专门来整顿业务的。

可是，日子一天天过去，新主管却毫无作为，每天彬彬有礼地走进办公室，便躲在里面难得出门。

那些本来紧张得要死的坏分子，现在反而更猖獗了。

“他哪里是个能人嘛！根本是个老好人，比以前的主管更容易糊弄！”

4个月过去，就在真正努力的人为新主管感到失望时，新主管却发威了——坏分子一律开除，能人则获得晋升。下手之快，断事之准，与4个月中表现保守的他，简直像是换了个人。

年终聚餐时，新主管在酒过三巡之后致词：相信大家对我新到任期间的表现和后来的大刀阔斧，一定感到不解。现在，听我说个故事，各位就明白了：

我有位朋友，买了一幢带着大院的房子，他一搬进去，就将那院子全面整顿，杂草杂树一律清除，改种自己新买的花卉。某日，原先的屋主往访，进门大吃一惊地问："那最名贵的牡丹哪里去了？"

这位朋友才发现，他竟然把牡丹当草给铲了。

后来，他又买了一幢房子，虽然院子更是杂乱，他却是按兵不动。果然，冬天以为是杂树的植物，春天里开了繁花；春天以为是野草的，夏天里成了锦簇；半年都没有动静的小树，秋天突然红了叶。直到暮秋，它才真正认清哪些是无用的植物，而大力铲除，并使所有珍贵的草木得以保存。

说到这儿，主管举起杯来：“让我敬在座的每一位，因为如果这办公室是个花园，你们就都是其间的珍木，珍木不可能一年到头开花结果，只有经过长期的观察才认得出啊！”

酷评

路遥知马力，日久见人心

大刀阔斧的改革固然可以大快人心，但面对良莠不齐的花草，难免误伤名树珍木。中国有句古话：“路遥知马力，日久见人心。”时间可以说明一切。好人不会时时事事都顺利，但历史终究会有公论；坏人可以得逞于一时，但不能得逞于一世。

月季花定时吐露芬芳，人们可以充满自信地期待；而千年的铁树一旦开花，却会给人们带来出乎意料的惊喜。很多员工，平时工作时看似平平常常，但在危难时刻，却可以作中流砥柱。这样的人才，需要领导慧眼识英雄。

作为员工，很多时候以为自己做的事情没有人知道，不会有什么影响。但是，真的是如此吗？是否在不久的将来就会看到不同的结果呢？是否有什么东西可以让我们在日后得到甜美且幸福的果实呢？

故事5

扁鹊三兄弟

魏文王问名医扁鹊说："你们家兄弟三人，都精于医术，到底哪一位医术最好呢？"

扁鹊回答说："大哥最好，二哥次之，我最差。"

文王再问："那么为什么你最出名呢？"

扁鹊答说："我大哥治病，是治病于病情发作之前。由于一般人不知道他事先能铲除病因，所以他的名气无法传出去，只有我们家里的人才知道。我二哥治病，是治病于病情刚刚发作之时。一般人以为他只能治轻微

老潘印信

的小病，所以他只在我们的村子里才小有名气。而我扁鹊治病，是治病于病情严重之时。一般人看见的，都是我在经脉上穿针管来放血、在皮肤上敷药等大手术，所以他们以为我的医术最高明，因此名气响遍全国。”

文王连连点头称道：“你说得好极了。”

酷评

防患于未然

一般人认为，足以摆平或解决企业经营过程中的各种棘手问题的人，就是优秀的管理者。其实，这是有待商榷的。

俗话说：预防重于治疗，能防患于未然之前，胜于治乱于已成之后。由此观之，企业问题的预防者，其实是优于企业问题的解决者。

事后控制不如事中控制，事中控制不如事前控制。

可惜，大多数的事业经营者均未能体会到这一点，等到错误的决策造成了重大的损失，才寻求弥补。弥补得好，当然是声名鹊起，但更多的时候是亡羊补牢，往往是即使请来了名气很大的“空降兵”，结果还是于事无补，为时已晚。即使大经济学家凯恩斯活过来，也是束手无策。

对企业高级领导来说，最重要的才能莫过于能作出正确的判断，而这种特殊才能，是电脑永远无法取代的。

平常人面对危机，不太可能急中生智，常常只会生慌乱。所以，面对危机，我们常常要制订预案。这样，资质再平庸的人，也可以照着一步一步做。

故事 6

富翁的遗嘱

有一个富翁得了重病，已经无药可救，而唯一的独生子此刻又远在异乡。

他知道自己死期将近，但又害怕贪婪的仆人侵占财产，便立下了一份令人不解的遗嘱："我的儿子仅可从财产中先选择一项，其余的皆送给我的仆人。"

富翁死后，仆人便欢欢喜喜地拿着遗嘱去寻找主人的儿子。

富翁的儿子看完了遗嘱，想了想，就对仆人说："我决定选择一样，就是你。"

这个聪明的儿子，立刻得到了父亲所有的财产。

酷评

举轻若重，还是举重若轻

这个儿子想到的答案，我们不难想到。

然而，日常生活中的事情，却远远比这个故事要复杂。而面临这样的情况，许多人往往不能抓住问题的症结，他们有时分不清主次，眉毛胡子一把抓；有时分不清轻重缓急，失去了章法。

其实，在做任何事情之前，先想一想事情的原委，就可以顺利地达成目标。处理危机的关键，在于破解危机的源头。这样，就能把握住获胜的关键，往往会收到事半功倍的效果。

我们可以看到，到了一定的境界，世界上的人做事情，大致分为两种：一种是举轻若重，如诸葛亮，事必躬亲，如履薄冰；另一种是举重若轻，如周瑜，谈笑间樯橹灰飞烟灭。

举重若轻，是一般人可以向往但很难达到的境界；而举轻若重，则是我们可以向往并且可以追求的。

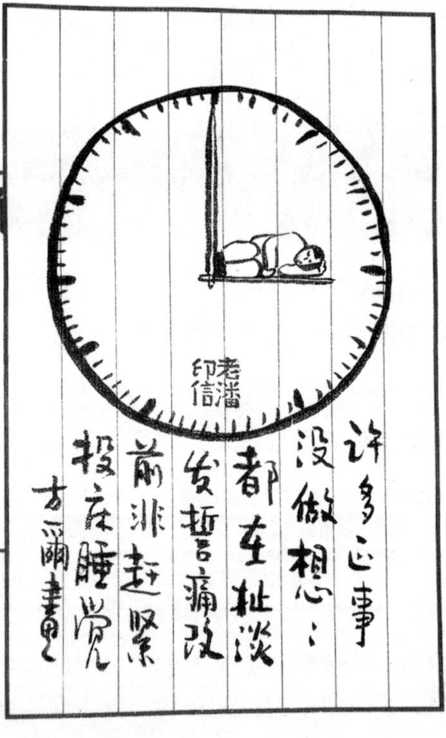

名人名言

企业最大的资产是人。

——松下幸之助

用人不在于如何减少人的短处，而在于如何发挥人的长处。

——彼得·杜拉克

员工培训是企业风险最小，收益最大的战略性投资。

——沃伦·贝尼斯

千方百计请一个高招的专家医生，还不如请一个随叫随到且价格便宜的江湖郎中。

——詹姆斯·柯林斯

一个公司要发展迅速得力于聘用好的人才，尤其是需要聪明的人才。

——比尔·盖茨

把我们顶尖的 20 个人才挖走，那么我告诉你微软会变成一家无足轻重的公司。

——比尔·盖茨

人才是利润最高的商品，能够经营好人才的企业才是最终的大赢家。

——柳传志

对产品质量来说，不是 100 分就是 0 分，质量是产品的灵魂、企业的生命。

——松下幸之助

20 世纪是生产率的世纪，21 世纪是质量的世纪，质量是和平占领市场最有效的武器。

——约瑟夫·朱兰

质量，是维护顾客忠诚的最好保证。

——杰克·韦尔奇

质量等于利润。

——汤姆·彼得斯

产品质量是生产出来的，不是检验出来的。

——威廉·戴明

企业的成功靠团队，而不是靠个人。

——罗伯特·凯利

最好的 CEO 是构建他们的团队来达成梦想，即便是迈克尔·乔丹也需要队友来一起打比赛。

——查尔斯·李

大成功靠团队，小成功靠个人。

——比尔·盖茨

不创新，就灭亡。

——亨利·福特

可持续竞争的唯一优势，来自超过竞争对手的创新能力。

——詹姆斯·莫尔斯

管理就是沟通、沟通再沟通。

——杰克·韦尔奇

沟通是管理的浓缩。

——萨姆·沃尔顿

管理者的最基本能力：有效沟通。

——威尔德

不善于倾听不同的声音，是管理者最大

的疏忽。

——玛丽·凯

企业管理过去是沟通，现在是沟通未来还是沟通。

——松下幸之助

世事洞明皆学问，人情练达即文章。

——曹雪芹

一个人如果能看穿这世界的矫饰，这世界就是他的。

——爱默生

“称许要真诚，赞美要慷慨。”这样人们就会珍惜你的话，把它们视为珍宝，并且一辈子都要重复着它们——在你已经遗忘以后，还重复着它们。

——卡耐基

学会以最简单的方式生活，不要让复杂的思想破坏生活的甜美。

——弥尔顿

生活是一种充满快乐和希望的冒险活动，这种活动是基于建设的愿望，而非保持自己所有财产或是获取他人财产的欲望。

——罗素

一个人对那些跟自己性格相投的人，是不会长期不和的，他总会一再取得一致的看法。对那些跟他性格完全相反的人，他可能徒劳地想方设法去跟他保持和睦，但他终归还是会同他们分道扬镳的。

——歌德

我们常常原谅我们厌烦的人，却不能原谅那些厌烦我们的人。

——拉罗什福科

没有人在生活中能不与别人碰撞。他不得不以各种方式奋力挤过人群，冒犯别人的同时也忍受别人的冒犯。

——卡莱尔

不要相信对任何人什么都信的人。

——莱辛

逢人且说三分话，未可全抛一片心。

——冯梦龙

处世须有理智和制约。

——第欧根尼

许多聪明人都心存秘密却表情坦率。

——培根

处世之道，贵在礼尚往来。如果你想获得友谊，你必须为你的朋友效力。

——爱默生

一个敌人不为少，不增为好；千个朋友不为多，应再多交。

——鲁达基

自己活，也让别人活。这就是我的座右铭。

——陀思妥耶夫斯基

一株优良的植物，种在与它本性相违的土壤中，立即会适应土壤而不是改造土壤去适应自己。

——蒙田

没有必要在每个人面前显露你的才能。

——格拉西安

凡是遇到一件事，无所适从，最好选择与你最无害的一面。

——萨迪

2.

鼓励 激发潜能

☞ 一个喜爱足球的女孩，考了许多年都没有被足球队录取。但是体校教练总是鼓励她："下次肯定能成功。"后来，她终于进入了足球队。多年后，她成为中国女子足球队的队长。

☞ 落后的观念是：遇事从不说是与不是。他们经常采用的方法是：A 是对的；B 呢？也没错。这样发展下去，连起码的是非观念都没有了！他们不知道什么是是，什么是不是。其最终结果，只能是：到头来，什么都不是。

☞ 曾经有两个杰出的中国人到了英国，进了世界一流学府剑桥大学，却声称自己不要学位。一个是徐志摩，以读书和思考为乐事；另一位是华罗庚，在两年时间里，发表了 20 多篇一流的数学论文，却唯独没有兴趣写博士论文，因为那太浪费时间。

故事 7

一言救世界

第一次参加家长会，幼儿园的老师对母亲说：“你的儿子有多动症，在板凳上连三分钟都坐不了。”然而母亲回去告诉儿子：“老师表扬你了，说宝宝原来在板凳上坐不了一分钟，现在能坐三分钟了。别的妈妈非常羡慕妈妈，因为全班只有宝宝进步了。”那天晚上，她儿子破天荒吃了两碗米饭，并且没让她喂。

儿子上小学了。家长会上，老师说：“全班 50 名同学，你儿子考试排第 40 名，我们怀疑他智力有障碍。”母亲回到家却对儿子说：“老师对你充满信心。他说了，你并不是个笨孩子，只要能细心些，会超过你的同桌，这次你的同桌排在21名。”她发现，儿子黯淡的眼神一下子充满了光彩。第二天上学时，儿子去得比平时都要早。

初中时，又一次家长会。儿子第一次没有在差生的行列中被点到。老师告诉她：“按你儿子现在的成绩，考重点高中有危险。”她回去惊喜地告诉儿子：“班主任对你非常满意，他说只要你努力，就有希望考上重点高中。”

高中毕业了。第一批大学录取通知书下来时，她预感儿子能被清华录取，因为在报考时，她对儿子说过，她相信他能考取。她儿子从学校回来，把一封印有清华大学招生办公室的特快专递交到她的手上，突然大哭起来：“妈妈，我知道我不是个聪明的孩子，可是，这个世界上只有你能欣赏我……”

上帝赶紧亲自来拯救
人类吧，我们都招架不住了
老潘印信

好言一句贵千金

渴望被人欣赏，是人的一种基本精神需求。

一个人的人生道路很漫长，关键时候，鼓励一下就可能成功，打击一下就可能失败。有的时候，轻轻一句话，就可以成就一个人或者毁掉一个人。

一个喜爱足球的女孩，考了许多年都没有被足球队录取。但是体校教练总是鼓励她："下次肯定能成功。"后来，她终于进入了足球队。多年后，她成为中国女子足球队的队长，她就是孙雯。一个身材矮小的女孩，喜欢上了乒乓球，所有的人都不看好她。但是她的父亲对她说："你很优秀，真的。"她后来成为乒乓球国手，她的名字叫邓亚萍。可能没有人会说她们的成功就是那几句话的结果，但是她们却说，那些话至今记忆犹新。

美国通用电气公司首席执行官杰克·韦尔奇，在他的自传中说，自己的成功也许要归功于他英格兰籍的母亲。他因为小时候有口吃而非常自卑，但他的母亲对他说："孩子，这是因为你的嘴巴无法跟上你聪明的脑袋。"他认为，这是迄今为止他听到过的最妙的一句话。

一位年轻作曲家参加一个贵族聚会，他遭受了一位公爵的嘲笑，作曲家对此自卑不已。他的朋友对他说："这个世上的公爵有很多，而贝多芬只有一个。"这就是贝多芬，写出了流芳百世辉煌乐章的贝多芬。

好言一句贵千金！

故事 8

我叫陈阿土

陈阿土是一位台湾的农民，从来没有出过远门。他攒了半辈子的钱，终于参加一个旅游团出了国。

国外的一切都是非常新鲜的。偏偏陈阿土参加的是豪华团，一个人住一个标准间。

早晨，服务生来敲门送早餐时大声说道："Good morning, sir！"

陈阿土愣住了。这是什么意思呢？在自己的家乡，一般陌生人见面都会问："您贵姓？"

于是，陈阿土大声叫道："我叫陈阿土！"

如是这般，连着三天，都是这个服务生来敲门，每天都大声说："Good morning, sir！"而陈阿土每次都大声回道："我叫陈阿土！"

但是，陈阿土非常生气。这个服务生也太笨了，天天问自己叫什么，告诉他又记不住，很烦人。终于，他忍不住去问导游，"Good morning, sir！"是什么意思，导游告诉了他。天啊！真是丢脸死了。

陈阿土反复练习"Good morning, sir！"这个词，以便能体面地应对服务生。

又一天的早晨，服务生照常来敲门。

门一开，陈阿土就抢先叫道："Good morning, sir！"

服务生大声回答："我叫陈阿土！"

酷评

正确地影响他人

这个故事初看上去，是关于沟通和误解

的：这个服务生把“我叫陈阿土”当作早上的问候语，因为陈阿土每天都讲。

其实，这个故事告诉我们，人与人交往，常常是意志力与意志力的较量。不是你影响他，就是他影响你，而我们要想成功，一定要培养自己的影响力，只有影响力大的人，才可以成为最强者。

社会上虽不乏强者，但生活中常常有优柔寡断的人。而更为常见的情况是，人们在面对选择的时候，常常会举棋不定。而这个时候，最需要一种坚定的声音。我们平时要注意自己的言行举止，我们的一举一动，都将影响到别人。我们要适当注意自己的身份，建立自己的权威，树立自己的威严与影响力。在公共场合讲话，要坚决果断，震慑十足，说话要有分量，一是一，二是二。这样，在顺境中，我们就可以一言九鼎；在逆境中，我们就可以力挽狂澜，摆脱不利局面。

与此相反，落后的观念是：遇事从不说是与不是。他们经常采用的方法是：A 是对的；B 呢？也没错。这样发展下去，连起码的是非观念都没有了！他们不知道什么是是，什么是不是。其最终结果，只能是：到头来，什么都不是。

所以，一定要正确地影响他人。

故事 9

鼓励改变了他的一生

19 世纪初，伦敦一位青年希望成为一个作家，但事事看来都似乎与他作对。

他仅读了 4 年书，他的父亲因为还不起债而被捕入狱，而年幼的他无力在社会上生存，只好与母亲一起去陪父亲坐牢。后来，这位青年饱尝饥饿的痛苦。最后，他找到了一个工作，在一间老鼠肆虐的货房中粘贴黑油瓶上的签条。夜里，他睡在一间破旧的阁楼中，同伦敦贫民窟的两个肮脏顽童住在一起。

他对自己著述的能力不抱太大的信心，

因此，他在深寂的夜里偷偷地出去，将他的第一篇稿件付邮，以免人家笑他。

一篇篇的故事投稿，都被拒绝了。

最后，伟大的一天终于到来，终于有一篇被接受。实际上，他没有得到报酬，但一位编辑称赞了他。他非常地兴奋，以致在街上漫无目的地游荡，泪流满面。

由一篇故事被刊出所得的称赞及承认，改变了他的一生。

你或许也已听到过那个孩子的名字，他就是查尔斯·狄更斯。

酷评

真诚地赞赏他人

听上去，这好像是一个伯乐与千里马的故事。

的确，世上有很多千里马，但少有伯乐。大多数的千里马，因为没有遇见伯乐，一辈子默默无闻。

伯乐需要有眼光，他能够从成百上千的

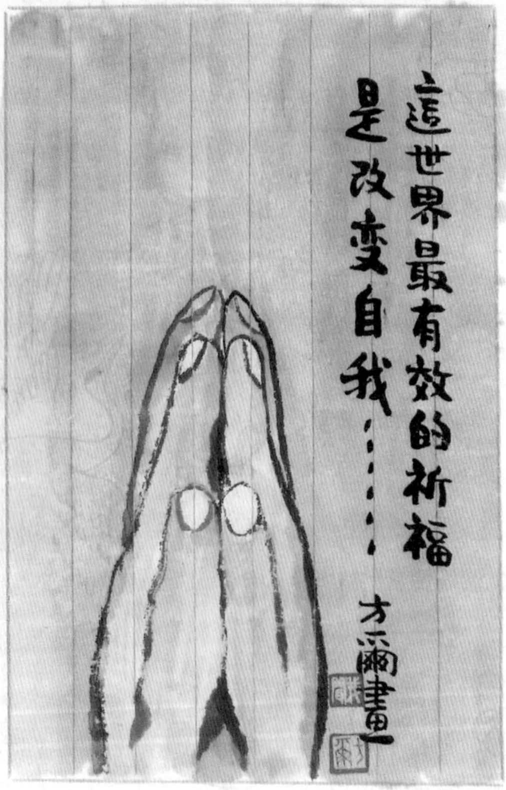
這世界最有效的祈福
是改变自我……
方元爾畫

稿件中慧眼识英雄，知道谁有潜力。伯乐更需要有唯才是举、求才若渴的态度。如果一匹千里马被当作驽马，那岂不是天下最大的不公？因此，伯乐会真诚地赞赏他人。没有这声赞赏，这个世界就会少一个伟大的批判现实主义作家，英国文学史也会黯然失色。

同时，千里马的征程也不是一马平川。查尔斯·狄更斯本人，曾经因为贫穷而不得不在房顶抓麻雀果腹，但他相信自己，相信自己会事业成功，心中有一份自信。

同样，曾经有两个杰出的中国人到了英国，进了世界一流学府剑桥大学，却声称自己不要学位。一个是徐志摩，以读书和思考为乐事；另一位是华罗庚，在两年时间里，发表了 20 多篇一流的数学论文，却唯独没有兴趣写博士论文，因为那太浪费时间。

是的，当你相信自己是千里马的时候，你就没有时间去要这样的名号了。你清楚自己的使命，清楚自己将会是什么样子。

只要是千里马，早晚一定会得到赏识的。

故事 10

了解它！

1875 年 3 月的一天，亚历山大 · 贝尔到华盛顿特区旅行，拜访当时最伟大的科学家之一的约瑟夫 · 亨利，快步走进他的办公室。

约瑟夫 · 亨利从未见过这位瘦高个、黑头发的年轻人，但他曾听说过贝尔家族以及他们成功的聋人教学法。他对这位年轻来访者的细心留下了深刻的印象，年轻人解释了他的通过电流传送声音的理论。当贝尔解释之后，亨利说："你有了一个伟大发明的想法，在这方面努力吧。"

“先生，但是还要克服机械上的难点。那需要电的知识，而我没有。”

“了解它！”这就是这位伟大的科学家的建议。

“要是没有这三个字的鼓励，”贝尔后来说，“我不会发明电话的。”

酷评

世界需要鼓励，更需要清醒

听了这则故事，我们也许会觉得没什么，不懂电的知识，了解它不就完了吗？有什么了不起呢？但是，我们有没有想过，一个让你获得激励的词语的价值，胜过千万个不曾表达出来的思想。

这是一种智慧，一种高度的智慧。

首先，你需要对这件事情要有一个全面的了解，一个清晰的思路，以及一个科学的结论。这就要求你本身是一个专家，否则不可能有这样的判断。在那个时代，这样的人，也许约瑟夫·亨利是唯一的。

其次，有了这样一个准确的判断，就要对年轻人进行鼓励。否则，明明可以走通的路，他不走下去，还是没用。

第三，我们看到，清醒的判断是前提。如果没有清醒的判断，只有热情的鼓励，那就会好心办坏事，越鼓励，事情反而越糟糕。万一是一条死胡同，你却在一边瞎鼓励，最后人家还是要碰壁。世界上这样的人很多，到头来，你还怨不得他。中国有一个典故，杀君马者道旁儿：一个人得到一匹好马，就在路上试骑，路边的小孩子一味叫好，那人就骑得越来越快，最后把马累死了。这个典故，就是讲这个道理。

所以，这个世界，既需要清醒的判断，也需要热情的鼓励，两者缺一不可。

故事 11

士为“赞赏”者死

韩国某大型公司的一个清洁工，本来是一个最被人忽视，最被人看不起的角色，但就是这样一个人，却在一天晚上公司保险箱被窃时，与小偷进行了殊死搏斗。

事后，有人为他请功并询问他的动机时，答案却出人意料。他说：当公司的总经理从他身旁经过时，总会不时地赞美他“你扫的地真干净”。

你看，就这么一句简简单单的话，就使这个员工受到了感动。

学会尊重比你职位低的人

在大型公司里，一个总经理与一个清洁工之间的距离，是不言而喻的。而正是这样一个总经理平时一句不经意的赞赏，使得员工在危急时刻不顾自己的安危，挺身而出。这也正合了中国的一句老话“士为知己者死”。所以，要学会尊重比你职位低的人。

金钱在调动下属的积极性方面不是万能的，而赞美却恰好可以弥补它的不足。生活中的每一个人，都有较强的自尊心和荣誉感。你对他们真诚的表扬与赞同，就是对他价值的最好承认和重视。而真诚赞美下属的领导，能使员工们的心灵需求得到满足，并能激发他们潜在的才能。美国著名女企业家玛丽·凯曾说过：“世界上有两件东西，比金钱和性更为人们所需——认可与赞美。”我们看到，打动人心最好的方式，就是真诚的欣赏和善意的赞许。

不过，世界上有不同的观念。这位清洁

工的行为，在韩国会受到表扬，但在美国却非但得不到表扬，说不定还会遭到解雇。原因是，公司里来了小偷，你可以报警。但如果你与他搏斗，有可能会受伤甚至有性命之忧，那样的话，损失就更大。

名人名言

流水在碰到抵触时才会释放活力！

——歌德

那脑袋里的智慧，就像打火石里的火花一样，不去打它是不肯出来的。

——莎士比亚

没有人事先了解自己到底有多大的力量，直到他试过以后才知道。

——歌德

每个人都可以让世界变得不同，我们都应该尝试。

——肯尼迪

人的思想是了不起的，只要专注于某一项事业，那就一定会做出使自己感到吃惊的成绩来。

——马克·吐温

人生是伟大的宝藏，我晓得从这个宝藏里选取最珍贵的珠宝。

——显克微支

人在身处逆境时，适应环境的能力实在惊人。人可以忍受不幸，也可以战胜不幸，因为人有着惊人的潜力，只要立志发挥它，就一定能渡过难关。

——卡耐基

我们都拥有自己不了解的能力和机会，

都有可能做到未曾梦想的事情。

——卡耐基

在一个小房间里，如果坐着不动，就意识不到墙。有所动作，碰壁了，才意识到墙。

——土光敏夫

自尊自爱，作为一种力求完美的动力，却是一切伟大事业的渊源。

——屠格涅夫

一个人能否有成就，只看他是否具备自尊心与自信心两个条件。

——苏格拉底

对人来说，最重要的东西是尊严。

——普列姆昌德

每一个正直的人都应该维护自己的尊严。

——卢梭

谁自尊，谁就会得到尊重。

——巴尔扎克

如果你想受人尊敬，那么首要的一点是你得尊敬你自己；只有这样，只有自我尊敬，你才能赢得别人的尊敬。

——陀思妥耶夫斯基

真有血气的人，既不曲意求人重视，又不能忍受忽视。

——拜伦

如果还有点自尊心，就不应该由于疏懒或者忠厚而置人身侮辱与诽谤于不顾。

——普希金

自尊是我们保存之工具，它类似物种永存的工具，它是必需的，它对我们是可贵的，它给我们快乐，它必须隐藏起来。

——伏尔泰

产生自尊心的是理性，而加强自尊心的是思考。

——卢梭

自我尊重的最大秘密是：开始多欣赏别人，对任何人都要有所尊敬，因为他是上帝的儿子，也就是一件“有价值的东西”。

——马克斯威尔·马尔兹

自尊并不是自我夸大，唯我独尊。自信心也不是只信自己，固执己见，走向刚愎自用的道路上去；也不是专信别人，没有耳骨骼，没有己见，走向盲从逢迎的道路上去。

——华盛顿

人的尊严只能实现于自由人之间。

——卢梭

珍视思想的人，必然珍视自己的尊严。

——苏霍姆林斯基

唯一真正的那种尊严，就不会因他人的漠视而有所减损的尊严。

——哈马舍尔德

没有自尊心的人是渺小的，自尊心是可以用来推动地球的阿基米德杠杆，但是同时，只有像骑手善于驾驭马那样善于控制自己的自尊心的人，才配得上人的称号。

——屠格涅夫

无论是别人在眼前或者是自己单独的时候，都不要做一点卑劣的事情：最要紧的是自尊。

——毕达哥拉斯

我从未廉价出卖过自己。我从来都不用别人的标准来衡量自己。

——索非娅·罗兰

人受到的震动有种种不同：有的是在脊

椎骨上；有的是在神经上；有的是在道德感受上；而最强烈的、最持久的则是在个人尊严上。

——高尔斯华绥

自尊，迄今为止一直是少数人所必备的一种德性。凡是在权力不平等的地方，它都不可能在服从于其他人统治的那些人的身上找到。

——罗素

每当人们不尊重我们时，我们总被深深激怒。然而在内心深处，没有一个人十分尊重自己。

——马克·吐温

一个人应该努力成为自身的好朋友，从而使自己得到一位卓越的终身伴侣。

——詹姆斯

一个人要自觉地承认别人的价值，尊重别人的价值，要么就得自己有自己的价值。

——叔本华

任何人都厌恶受人摆布，被人驱使，而希望能自主行动；同时能盼望别人能尊重自己。

——卡耐基

让我们成名而顺应一些条件，我宁愿把希望成功的强烈愿望扼杀于襁褓之中，同时也克制住那正直的自豪和他哺育的纯洁：我宁愿放弃现实的利益而求得自尊。

——罗曼·罗兰

我相信你，我的灵魂，但我决不使别人向你屈尊，你也不应该对别人自低身份。

——惠特曼

3.

宽容

拓宽天地

☞ 有一种心理学理论这样说：性格色彩将人们的性格分为红色、黄色、蓝色、绿色。通常其中的一种或两种色彩占主导位置。即人的性格分红色性格、黄色性格、蓝色性格和绿色性格等。人们总是会寻找与自己属于同类颜色性格的人，找到这样的人，便会喜欢和欣赏。

☞ 宽容是一件奢侈品，不是人人能够拥有的，也不是有钱人的专利，它只属于有智慧的人。

☞ 宽容有时比惩罚更有力度，尤其是对于那些偶尔犯错的人。那种宽容的洋洋暖意，会造就新的奇迹。

☞ 狐狸精毕竟不是十恶不赦，只要真心改过，狐狸精也有春天。

故事 12

钉子

有一个脾气很坏的男孩，大家都拿他没办法。

一天，父亲给了他一袋钉子，让他每发一次脾气，就在墙上钉一根钉子。

第一天，男孩钉下了 40 多根钉子。

慢慢地，他每天钉钉子的数量减少了。他发现控制脾气，其实要比钉钉子容易些。

终于有一天，男孩改掉了乱发脾气的毛病，能够忍耐、为别人着想了。

他很兴奋地告诉父亲这个事实。父亲又

给他一个任务：从现在开始，每次能控制自己脾气的时候，就拔出一根钉子。

一天天过去了……

最后，男孩告诉父亲，他终于把所有的钉子都拔出来了。

父亲轻轻地摸着他的头说："你做得很好。但是我们看看那些墙上的洞吧，墙壁永远都不可能恢复到从前。你生气时说的话，就像这些钉子一样会在别人的心上留下疤痕。就像如果你拿刀子捅别人一刀，不管你说了多少次对不起，那个伤口永远会存在。话语的伤痛，甚至会比刀子的伤痛更令人无法承受。"

酷评

世界需要宽容

你不要指望在这个世界上生存你还能有脾气。

你要在这个社会上生存下去，就必须没有脾气。把你的脾气带到这个社会上来，是毫无用处的，社会所认可的只是你的工作和学习。脾气只会把一切都弄糟。

你钉在别人身上的钉子，同样也会钉在你自己身上。有一种心理学理论这样说：性格色彩将人们的性格分为红色、黄色、蓝色、绿色。通常其中的一种或两种色彩占主导位置。即人的性格分红色性格、黄色性格、蓝色性格和绿色性格等。人们总是会寻找与自己属于同类颜色性格的人，找到这样的人，便会喜欢和欣赏。人是各不相同的，为人处世的最成功之处，是要让其他不同颜色性格的人也来欣赏你。而它的前提条件是，你先去欣赏和喜欢不同颜色性格的人。

我们现在处在后工业化社会，人与人之间的沟通和理解是包括联合国在内的一个世界性难题。人与人之间，常常会因为一些彼此无法释怀的坚持，而造成永远的伤害。我们要做并且能做的，不是增添无用的疤痕，而是去努力填平人与人之间的沟壑。要知道，一席好话使人如沐春风，一言不好使人如遭

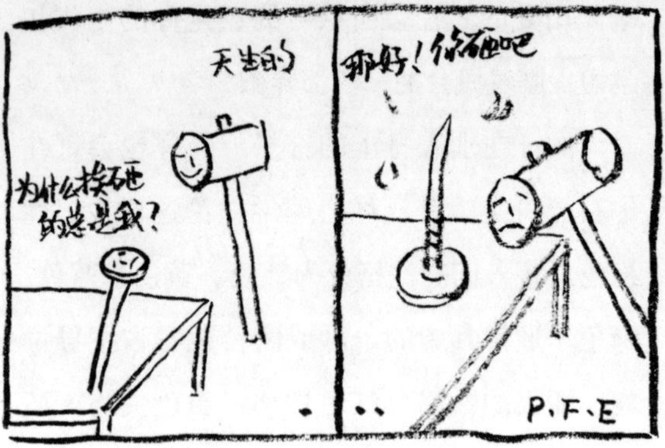

刀剑。如果能从自己做起，开始宽容地看待他人，相信一定能收到意想不到的效果。帮别人开启一扇窗，也能让自己看到更完整的天空。

故事 13

夜游

仙崖禅师的禅院里，有位学僧常常晚上爬过院墙，偷偷地去外面游玩。

一天，仙崖禅师巡夜时，发现墙角有一张高脚的凳子，知道肯定有人出去了。他顺手把凳子移开，自己站在凳子的地方，等候学僧归来。

夜深时，游罢归来的学僧，不知凳子已经移走，一脚就踩在仙崖禅师的头上，随即跳下地来，看清是禅师，惊慌得不知所措！

仙崖禅师却安慰道："夜深露重，小心身

体，不要着凉，快回去添件衣服。”

全寺大众，没有人知道这一件事，仙崖禅师也从来没有提起。但是，自此以后，全寺一百多个学僧，再没有一人夜游。

酷评

宽容是件奢侈品

宽以待人，宽容是解决问题的最好办法，禅师以鼓励代替责备，以关怀代替处罚，收到了更好的教育效果！

宽容是件奢侈品，不是人人能够拥有的，也不是有钱人的专利，它只属于有智慧的人。

宽容分对人宽容还是对己宽容。对己宽容易，对人宽容难，但人们却又很希望别人能够对自己宽容。历史上多少风云人物、被人们崇敬的人物，也未必事事都能做到宽容。那些战争、那些争端甚至疆场厮杀，未必不是当权者之间一次不肯宽容而造成百姓的血流成河。

宽容是解决问题的最好办法。有了宽容，

就不再为一点小事而烦恼，不再为情绪的起伏而太自责，不再过分指责别人的对错，也开始在得失之间懂得平衡……假如没有宽容之心，就会狭隘固执、患得患失、纠结细节。

故事 14

狐狸精与张天师

传说，张天师每逢外出便在三道门前施用三道神功妙法，使邪妖不能入内。

一道门上，放一只盛满水的碗，碗中间横置一根筷子。在妖精眼里天师府门前就成了一条大江，江面上是一座长长的独木桥，不敢过去。二道门上，挂一只簸斗，妖精至此，见到的是一只张牙舞爪的大猛虎，不敢进门。三道门上，在石阶下置放一根草绳，妖精看见的却是一条张着血盆大口的大蟒蛇，不敢前行。

这年秋天，上清宫对面的天台山“迷人洞”里，有只狐狸精，三番五次想进天师府，妄想揭开天师三道法术的秘密，无奈无法化身入门。

一天，张天师外出回府甚晚，竟忘记收回门上的三道法术。就在这天晚上，狂风大作、雷电交加、大雨倾盆。这时狐狸精又跑到天师府的大门口，它意外地发现门上的法术未收回，便断定是天师外出不在府。乘着雷电交加之机，它忽然想到从天而降的妙计，不料却恰恰落在“三省堂”的中厅。这时，天师正在中厅后的居室休息，忽见一道白光闪入中厅，顿觉奇怪，随即出门去看。天师走出房间，果然立刻就闻到了一股狐腥味，便大声喝道：“小小狐狸精胆大包天，竟敢越门闯府，休想躲藏，快快出来，从实招供，免受一剑。”

狐狸精躲在楼上，被张天师的几句话吓得发抖，眼看要逃走是不可能的，便想到不如自首招供，于是它跳下楼来，跪在天师脚下，磕头求饶：“小妖来自天台山迷人洞，未走正门，实有过错。但今晚闯府并非怀有恶意。小妖又岂敢在天师门前为非作歹，实因几次下山，看见贵府三道门上的符道术异常高超，小妖想看个究竟，见识见识……”

狐狸精接着说：“求天师饶恕，小妖往后一定改邪归正。还烦请天师指点、赐教，小妖定当一一从命！若有使用之处，当尽力效劳以报天师不斩之恩。”

张天师听了，觉得这狐狸精态度倒也还算诚恳，便说：“既然如此，就免你一死吧。暂时命你在此楼隐修，以观后效。如有擅自行动，定斩不饶！”

“遵命！遵命！小妖遵命！”狐狸精连连磕头说。

从此，这个狐狸精就被张天师软禁在天师府三省堂中厅的楼上，再也没有出现过。

相传，在这楼上东边的一角处，还为狐狸精立了坛位，每日香灯供祀。由此，这个中厅也就传称为“狐仙堂”。直至今天，还有不少游人在这里驻足探望，遐想狐狸精是否仍旧软禁在此。

酷评

狐狸精也有春天

这个世界上本来没有狐狸精，它是人们在出于某种精神需要而塑造各类鬼怪神仙的同时，顺便捎带的产物。

狐狸精应该是怎样一个形象？我们对其通常的概念是一个奸邪的集大成者。没错，狐狸精所对应的就是人类社会中那些为正统思想所不容的、行事爱走歪门邪道的“异类”人群。女狐狸精们涂脂抹粉、衣不蔽体，说话嗲声嗲气，举止轻浮无道；男狐狸精们玉面玲珑，不守人伦礼教，心有千百万眼。总之一句话——就是不守规矩。要不怎么有门不走，偏偏要从天而降呢？

然而，狐狸精小奸小恶，却也有向善的一面。比如张天师碰到的这一只，夜闯天师府的最深层原动力竟然只是为了“探索未知

有些动物主要是皮值钱，譬如狐狸；有些动物主要是肉值钱，譬如牛；有些动物主要是骨头值钱，譬如人。
丰子恺句

领域，解析神秘事物，学习先进科学文化技术，并且挑战自我”，顽皮中透着一星半点儿的灵性，让一向以斩奸除魔为己任的张天师末了也不忍下重手了。

张天师是人性“绝对善的一面”的代表，他的手下留情告诉我们，原来很多时候善与恶并不一定非要完全对立的。我们面对恶，除了彻底消灭它，转化包容有时亦不失为上策。法外尚可有情，这才是人性的光辉所在。狐狸精毕竟不是十恶不赦，只要真心改过，狐狸精也有春天。

故事 15

乖巧仆人

一天，某伯爵带着仆人去打猎。

伯爵看到一只鸟正在树上栖息着，就用枪瞄准了那只鸟，“砰”地放了一枪。

鸟飞了，没打中。仆人说：“风太大，把老爷的子弹吹偏了！否则那鸟绝对跑不了。”

伯爵又看到了一只野兔，他又放了一枪，仍是落空。仆人说：“兔子太狡猾，您尚未开枪它就跑了。不然，它必死无疑。”

天黑了，伯爵依然一无所获。回到村口，邻人问收获如何，仆人抢在伯爵之前答道：

"要说我主人的枪法，可真是没说的。不过，上帝对动物的怜爱，那更是没的说！"

酷评

阿 Q 精神的妙用

好一位聪明乐观的仆人！明明没有打到，他偏偏能找出三条令人信服且叫人开心的理由，着实高明。

人生短短几十年，除去不懂事的童年、

不能动的老年，时间所剩不多，快乐都来不及，哪有时间不开心呢？然而，人生不如意者十之八九，如何快乐，全凭一个心态。快乐，永远是一种感觉。

阿Q“儿子打老子”的哲学，让他到死都是快乐的。凡事往好处想，往好里说，这就是阿Q哲学的理论基础。阿Q精神何尝不是一种智慧？大火烧了房子就该庆幸自己不在家，一颗牙坏了就该庆幸坏的不是满口牙……若能有此胸怀，必能成就一番大事业。

事件是客观的，但人们的解释却可以是多样的。已经是很糟糕的结果，我们为什么还要自寻烦恼地为这个结果做些于事无补的追悔呢？吾生有涯，不要把生命浪费在一些无谓的事情上。

故事 16

弄假成真的李斯特的女学生

有一次，欧洲的某城市里来了一位女钢琴家，在她的演奏会的广告牌上，写着几个醒目的大字：李斯特的女学生。李斯特当时在欧洲已是很有名气的钢琴家了，既然是他的学生，那一定是造诣很深的，人们纷纷慕名前来观看。

可是，哪知这个女钢琴家根本不是李斯特的学生，而且连李斯特的面也没见过。她之所以想出这么个冒名顶替的办法，是想让更多的人前来听她演奏。

谁知就在她开演奏会期间，正好李斯特也来到了这个城市，而且就在她住的旅馆里下榻。当她得知这个消息后，非常不安，她害怕对方责怪，赶忙跑到李斯特的房间里，痛哭流涕地请求李斯特的宽恕。

李斯特弄清了事情的原委之后，并没有责备她，而是和蔼地对她说："请你把演奏会上所弹的曲子，弹一支让我听听吧！"

那女钢琴家在弹奏的时候，李斯特认真地指出了她的不足，并为她作示范。弹完之后，李斯特对她说："现在我已经教过你钢琴了，从此以后，你完全可以自称为'李斯特的女学生'了。你开钢琴演奏会的时候，我可以特地为你出席演奏一曲。如果你的演奏曲目单还没有印刷出来，请再添印一行：李斯特将亲临演奏。"

那位女钢琴家听了李斯特的话，流下了热泪，激动得说不出一句话来。

酷评

给别人一个改正错误的机会

没有一个人可以说自己没犯过错误！

当我们犯了错误以后，总是渴望补偿和改正的机会，而当我们面对别人的错误时，我们却常常先批评而后快，颇有"多年的媳妇熬成婆”的快意。

这种快意恩仇的做法是扼杀激情、扼杀天赋的。错误已经犯下，无可挽回，对过去的责备和纠缠只会把事情弄得更糟。我们要做的是，引导犯错者走出错误，走向进步。

宽容有时比惩罚更有力度，尤其是对于那些偶尔犯错的人。那种宽容的洋洋暖意，会造就新的奇迹。

不会宽容别人的人，是不配得到别人的宽容的。人生的价值绝对不是一味地要求这个世界、要求他人。没有爱的付出，怎有爱的回报?

年长或高位不是指责他人的资本，有涵养者总会用自己的经验和耐心来理解年轻人所犯下的错误，来指引他们走出自己的错误。

李斯特就是这样一个有涵养者。

名人名言

宽容则是在荆棘丛中长出来的谷粒。

——普列姆昌德

宽容所产生的道德上的震动，比责罚产生的要强烈得多。

——苏霍姆林斯基

不会宽容别人的人，是不配受到别人的宽容的。

——屠格涅夫

一味的正直是不够的，还得考虑温厚和宽恕才是。

——乔叟

能宽恕别人是一件好事，但如果能将别人的错误忘得一干二净那就更好。

——勃朗宁

宽恕胜于报复，宽恕是温柔的象征，而报复是残暴的标志。

——爱比克泰德

在不故意的情况下，犯多少次罪都是可以饶恕的。而对于明知故犯者来说，则是不能饶恕的，是无法赎罪的。

——普列姆昌德

宽容意味着尊重别人的无论哪种可能有的信念。

——爱因斯坦

在我生机勃勃的世界里，我容纳了各种已经腐朽的事物。

——泰戈尔

人只要上了一点年纪，判断事物的态度就会变得宽厚起来。我们还没有见到过哪一种过失是我自己决不会犯的。

——歌德

世界上最能长存的东西能存在的日子也很有限，你又何必拿这些小事当真理。

——泰戈尔

愈是睿智的人，愈是有宽广的胸襟。

——斯塔尔夫人

山锐则不高，水狭则不深。

——刘向

那些最明理的人，几乎永远都是最宽容

的人。

——爱尔维修

要求别人宽恕自己过失的人，自己也应当这样对待别人，这才是合乎情理的。

——贺拉斯

尽量宽恕别人，而决不要原谅自己。

——贺拉斯

宽恕一个敌人，比宽恕一个朋友更容易。

——布莱克

没有宽容过敌人的人，从未享受过人生最大的一种乐趣。

——拉瓦特

理解一切便宽容一切。

——罗曼·罗兰

只有勇敢的人才懂得如何宽容；懦夫决不会宽容，这不是他的本性。

——斯特恩

对于他人的长处彬彬有礼地承认，对于他人的错误可能同情地原谅。

——蒙森

宽容是这样一种德行：不为个人所受的伤害进行回报而且不看重这些伤害，也不去抓住报复的机会，即使在这种机会已近提供给他的时候。

——包尔生

中国固把忍耐看作崇高的德行。我们有句俗话说："小不忍，则乱大谋。"由是观之，忍耐是有目的的。

——林语堂

事物都是相互妥协的。就是冰山也会时

而消融，时而重新凝聚。

——爱默生

在人生道路上谦让三分，就能天宽地阔。

——卡耐基

与人无争，不算是无用。

——沈从文

妥协并不意味着懦弱。

——肯尼迪

一切妥协都具有投降性质，并且都将招致对方新的要求。

——爱默生

君子忍人之所不能忍，容人之所不能容，处人之所不能处。

——邓拓

尊重别人，尊重别人的命运和责任。

——马丹·杜·加尔

尊重别人的长处，在任何情况下都平等待人的人，才是道德高尚的人。

——苏霍姆林斯基

尊敬的基础是有所选择。尊敬一切人等于谁也不去尊敬。

——司汤达

你尊重人家，人家尊重你，这是人与人之间的公平交易。

——泰戈尔

尊敬意味着能够按其本来面目看待一个人，能够意识到他的个性和唯一性。

——弗洛姆

要想受到人尊敬，就得从坚持严格的礼

拜制度到小心翼翼地系结领带这样的小事做起。

——雨果

人的敬畏与人的爱，将是一层保卫的墙壁，一只喜悦的花圈，围绕着一切。

——爱默生

我们的一切事业都只趋向于两个目的，即为了自己生活的安乐和在众人之中受到尊敬。

——卢梭

只有尊敬他人，自己才能够受到尊敬。

——爱默生

4.

沟通 消除误解

☞ 她发现，第一个金像，从耳朵里穿进去的银丝从嘴里钻了出来；第二个金像，从一边耳朵穿入而从另一边耳朵钻出；第三个金像，则是从耳朵穿进从肚脐眼儿钻出来。

☞ 印第安人入住了美国政府为他们造好的公寓之后，对抽水马桶颇为不解，最后推断这是烤篝火的设备，因为灭火很方便，一拉就成。

☞ 人有不同的想法，甚至是相反的想法，这一点很正常，因为每个人的生长环境、家庭背景、教育程度等等都是不同的，每个人所产生的各种想法都可能是对的。

☞ 如果我们都在这种合同化的环境中生存，与人交往，仅仅是为利益驱使，而相互之间若是不存在可供利用的地方，就不再来往。这样的社会，如同假面晚会的舞台。

故事 17

通天塔

挪亚的后代人丁兴旺，遍布地面。那时候，天下人的口音和语言都是一样的。他们往东迁移的时候，住在了一片平原上。

他们拿砖当石头，又拿石漆当灰泥，想要建造一座城和一座通天塔，以此来传名，并作为集合全天下弟兄的标记，免得大家分散在地上。因为大家语言相通，同心协力，阶梯式的通天塔修建得特别顺利，很快就高耸入云了。

上帝不想让他们永远住在同一个地方，

同一个平原上，而应该遍布全世界。于是，上帝想：“这些人都是说同一种语言的，如今他们协力建造了一座通天塔，以后他们所要做的事就没有不成功的了。”因此，上帝决定让他们说不同的语言。

这样一来，人们说着不同的话，彼此之间就难以沟通了，思想也无法统一起来，通天塔的建造被迫停止了。人们开始分裂了，按照不同的语言形成许多部族，分散到了世界各地。

因为上帝在那里变乱了天下人的语言，使众人分散在各地，所以那座城市被称为“巴别”，那座塔称为“巴别塔”。“巴别”就是“变乱”的意思。

酷评

重视人与人之间的沟通

人与人之间的交流非常重要。

世界上有各种各样的语言，说不同语言的人，相互之间如果不能很好地交流，那么，就不可能齐心协力地做同一件事，就像这座巴别塔，最终只能半途而废。

操不同语言的人，常常会持有不同的观念，对同一件事情，会产生不同的看法。人有不同的想法，甚至是相反的想法，这一点很正常，因为每个人的生长环境、家庭背景、教育程度等都是不同的，每个人都会产生不同的想法。

我们一直提倡尽可能多地接触社会，经历不同的事情，打开自己的视野，就是为了不要少见多怪。我们不要认为只有自己的想法才是对的，不要把没见过的东西当作是错的，不要把与我们不同的人当作怪物。

如今，全球一体化的趋势越来越明显。不同的文明和文化会产生冲突，神也不是只有一个，我们应该允许有不同的信仰存在。

因此，沟通显得非常重要，我们应该试图去了解、接受不同的观念，否则就容易产生误解，并最终可能导致战争。

故事 18

一部最高级的凯迪拉克

自从被白人驱赶到保护区后，印第安人一直过着贫困的日子。终于，勘探发现在划归印第安人的土地下蕴藏着大量的石油。

一夜之间，印第安酋长暴富，购买了最高级的凯迪拉克。轿车运到，酋长端详了半天，叫族人牵来两匹马，拖着轿车在村庄中巡视。

人饱暖而后知荣辱，酋长觉得要学习英语。不久之后，懂了一点英语的酋长有一天心血来潮打开那份随车附送的操作手册。原来操作手册上清楚地写着，这部车拥有 260 匹马力。酋长生气地写了一封火爆的抗议信给汽车公司，要求赔偿应得的马匹。

凯迪拉克公司虽然莫名其妙，但还是不敢怠慢客户，派了专员来了解情况。

折腾了半天，汽车公司的专员才稍稍有了头绪，便问酋长："这辆车的钥匙呢？"

酋长摇头道："什么钥匙，没见过。"

专员笑着叹气，解下马，请酋长坐进后座，然后从箱中取出那辆车的钥匙，启动了引擎。

这辆轿车首次发动机驱动，全速奔驰而去。

酷评

是什么造成了误会？

一辆 260 匹马力的凯迪拉克，被 2 匹马拖着走，完全没有发挥这辆名牌汽车的实际功效。同样，人的潜能，犹如一座蕴藏无穷有待开发的金矿，价值巨大。由于没有进行各种潜能训练，每一个人的才能没有能够得到淋漓尽致的发挥。

只要发挥了足够的潜能，任何一个平凡的人都能成就一番惊天动地的伟业，成为一个新世纪的领航者。

进一步思考这则故事，这样的局面其实是文化冲突造成的。所谓“文化的冲突”，是一个文化知识的“误会”。不同的文化传统和背景，造成人们难以沟通的思维方式与易生摩擦的行为模式，古老的印第安文化对于马匹的认识和现代文明的马力发生了冲突。酋长正是生存于古老文明和现代文明的夹缝中，无法超脱。

还有一个相似的例子：印第安人入住了美国政府为他们造好的公寓之后，对抽水马桶颇为不解，最后推断这是烤篝火的设备，因为灭火很方便，一拉就成。

酋长在面对现代文化与古老印第安文化之间的冲突时，他所选择的用两匹马来拉轿车的古老文化，这虽无大错，却很愚昧，既违背了古老的生活方式，又落后于现代工业文明。

所以，每个人只有在不断实践中，明白自己潜藏的能量，才能最大限度地发挥自我的价值。

故事 19

改变人生的一句话

卡耐基小时候是个大家公认的坏男孩。当时，他和他父亲居住在弗吉尼亚州乡下，生活贫苦，而他的继母则来自较好的家庭。

他父亲一边向她介绍卡耐基，一边说：“亲爱的，希望你注意这个全州最坏的男孩。他可让我头疼死了，说不定会在明天早晨以前就拿石头扔向你，或者做出别的什么坏事，总之让你防不胜防。”

出乎意料的是，继母微笑着走到卡耐基面前，托起他的头看着他，接着又看着丈夫说：

"你错了，他不是全州最坏的男孩，而是最聪明，但还没有找到发泄热情地方的男孩。"

继母的话让卡耐基心里热乎乎的，眼泪几乎滚落下来。从此，他和继母开始建立了友谊。也就是这一句话，使他日后创造了成功的 28 项黄金法则，帮助千千万万的普通人走上成功和致富的光明大道。在她之前，没有一个人称赞过他聪明。他的父亲和邻居认定他就是坏男孩，但是继母只说了一句话，便改变了他的命运。

卡耐基 14 岁时，继母给他买了一部二手打字机，并且对他说，她相信他会成为一位作家。他接受了她的想法，并开始向当地的一家报纸投稿。他了解继母的热忱，也很欣赏她的那股热忱，他亲眼看到她用她的热忱如何改善他们的家庭。

酷评

言语的力量

故事中，继母的一句话激发了卡耐基的

想象力和创造力，唤起了卡耐基的无穷智慧，使他成为20世纪最有影响力的人物之一。

父母与子女的沟通，一直是困扰家长的一个大问题。有效地与子女沟通，是子女成才的必由之路。

家长的指责有时是无意的，他们一心想为子女好，而结果往往并不尽如人意。他们针对的，往往只是孩子的行为，而不是孩子的感受。

父母如何帮助孩子成为一个品质高尚的人，一个有怜悯心、敢于承担义务的人，一个有勇气、充满活力、正直的人，言语在其中展示出相当大的力量。

孩子就是孩子，只能去爱，不要拿来比较，不要老说别人的孩子如何如何的好，别数落他没出息。你是他最亲密的人，对大多数孩子来说，赞赏和鼓励比辱骂更能让他有奋斗的力量。何况，你忍心伤害自己的孩子吗？爱他一定要尊重他，再生气也不可以出口伤人，言语的伤口有时一生都难以愈合。

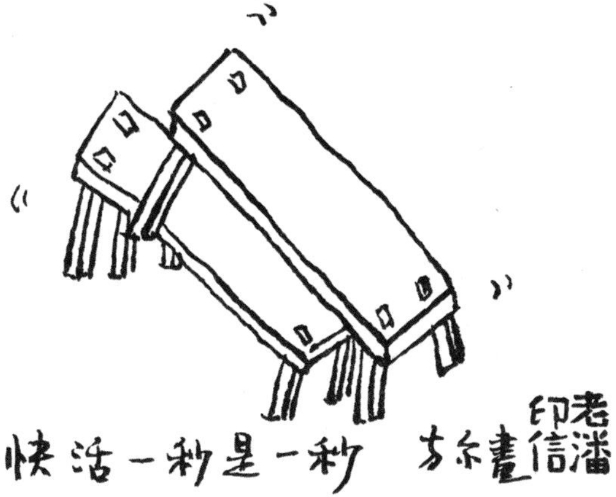

身体的伤害容易治愈，而精神的伤害是可怕的。

言语是很有感召力的交际工具。如果任何人都能够做到言出必行，把自己的决策很快转化为实际行动，他们言语的感召力就大大增强。

这，就是言语的力量。

故事 20

三个金塑像

从前，有个傲慢的国王，他一直认为邻国的国王不如自己有智慧。

于是，他想了个这样一个法子：派人送了三个黄金塑造的人像到邻国去，想让邻国的国王断定哪一个金像更有价值。这三个塑像不但外表一模一样，连重量也是完全相同。

这可让邻国的国王为难了。他召集了所有的臣子，大家左看右看，怎么也看不出所以然来。

正当大家为此愁眉不展的时候，一位年

轻的婢女，低着头怯生生地站了出来，说“请允许我看一看这三尊金像，兴许我能分辨出它们的价值来。”国王准许了她的请求。

姑娘走近金像，仔仔细细地看了又看，最后，她发现每个金像的耳朵上都有一个小孔。

于是，她要了一根极细的银丝，从金像的耳朵里穿进去。她发现，第一个金像，从耳朵里穿进去的银丝从嘴里钻了出来；第二个金像，从一边耳朵穿入而从另一边耳朵钻出；第三个金像，则是从耳朵穿进从肚脐眼儿钻出来。

年轻的婢女思考了一会儿，对国王说：

“尊贵的陛下，很明显，第一个金像提醒我们：有那么一种人，他听到点儿什么事，一眨眼工夫就从嘴里说了出去；第二个金像，就像那么一种人，他从这个耳朵听到了什么，马上就从那个耳朵溜出去了；而第三个金像，它很像一位能把听到的事记在心上的人。陛下，您现在可以判断哪一个金像最有价值了吧。”

不服不行
你说不行就不行行也不行
说你行你就行不行也得行

要善于倾听

这个故事告诉我们，最有价值的人，不一定是最能说的人。老天给我们两只耳朵一个嘴巴，本来就是让我们多听少说的。善于倾听、善于思考才是成熟的人最基本的素质。

许多人遇到过这样的情况：把藏在心里的某些困惑或想法告诉我们信任的朋友，可是数日之后，我们惊恐地发现，那些压在我们心中的秘密，竟然成为别人茶余饭后借以取笑、闲聊的话题。

也有这样的情况，同样是把心底的秘密拿来和朋友分享，对方却心不在焉，脸上写着与我何干的表情。全然不顾倾诉者的内心感受。遇到这种情形，我们会有一种不被尊重的感觉，后悔将心里的想法说出来。这样的朋友就像是故事中的第二尊金像。

真正值得我们信赖的朋友，是那些愿意和我们一同承担困苦，分享快乐，并且能够替我们保守秘密的人。就像这第三尊金像。

那么，我们自己是哪种人呢？

故事 21

宽容的力量

古代有一位良宽禅师，有一天收到一封家书。大意是说他的一位外甥，每天吃喝玩乐不务正业。家人希望良宽禅师能回家一趟，规劝其外甥改邪归正。

于是，良宽禅师回到家乡，留在外甥家过了一夜。

外甥家中上上下下都很高兴，心想禅师正好可以整夜教育这个不肖的外甥，劝他悔过向善。

出人意料的是，晚上，良宽禅师在俗家床

上坐禅坐了一夜，一句话也没有说，更不要提向外甥说教。外甥心里也感到疑惑，不知道舅舅的葫芦里卖的是什么药，惴惴不安地熬到天亮。第二天早上，禅师要穿上草鞋，准备离去的时候，对他的外甥说道："我年纪大了，两手总是发抖，你能帮我把草鞋带子系上？"

外甥非常高兴地帮助了他。良宽禅师慈祥地说道："谢谢你了，年轻就是好啊！你看，人老的时候，就一天衰似一天，可不像年轻的时候，想做什么就做什么。你要好好保重自己，趁年轻的时候，要把人做好，要把事业基础打好。不然，老了就追悔莫及了！"

禅师说完话后，掉头就走，对于外甥的任何非法行为，一句不提。但就从那天以后，他的外甥再也不花天酒地去浪荡了，像换了个人似的。

酷评

合适的方法 + 不可能 = 可能

古人云："得其法者，事半功倍；不得其

法者，事倍功半。”其中的“法”，指的就是方法。

教育的方法有很多种，有相信“棍棒底下出孝子”，有采用含蓄暗示的。其效果，有的犹如暴风骤雨，有的犹如春风化雨。

教育的方法很重要，即使对方是个十恶不赦的人，还是能够教育的，只要方法得当。如果禅师将外甥痛打一顿，估计外甥除了觉得痛之外，内心不会有任何触动。而禅师因材施教，启发引导，旁敲侧击，潜移默化地使外甥得到了教育。

任何事情，只要方法得当，都会取得很好的效果。大禹的父亲鲧被派去治水，他想用筑堤的办法来减少洪水的冲击。可是，少量的水可以用土堵，汹涌的洪水用土是挡不住的。堤坝最后被冲垮，水灾反而闹得更凶了，他自己也丢了性命。而大禹吸取父亲的教训，知道洪水是堵不住的，于是就疏导黄河，因势利导，洪水非但不再是灾害，反而用来灌溉良田。

阿基米德曾经说过：“只要给我杠杆和一个支点，我将撑起地球！”一个好的方法，不仅可以使不利因素转变成为有利因素，还可以使某些看似不可能的事成为可能。

故事 22

知鱼之乐

一天，庄子与惠子在濠水的桥上游玩。桥下，一群鱼儿正在水里欢快地游着，在荷叶间穿梭往来，好不自在。

庄子对惠子说：“你看！那些鱼儿悠然自得地游来游去，多么快乐啊！”

惠子反问道：“你不是鱼，怎么知道鱼的快乐呢？”

庄子不服气地反驳说：“你不是我，怎么知道我不知道鱼的快乐呢？”

惠子呵呵一笑，说：“我不是你，自然就

不知道你的感受；可是你也不是鱼，也一样不会知道鱼的快乐。”

庄子说：“让我们还是回到话题的开头吧。你说：‘你从哪儿知道鱼的快乐呢？’这就是说，你已经承认我知道鱼的快乐而来问我。我是在濠水的桥上知道的啊！”

惠子大笑不止，说：“你这是狡辩呀。”

庄子说：“如果非要问我怎么知道鱼的快乐，我只能说我本来就知道。鱼和我，都只不过是道的物化形式，我就是鱼，鱼就是我，我为什么不知道鱼的快乐呢？”

酷评

学一点辩论之道

惠子的确是一个能言善辩的专家，他让庄子不知所措的那招正是传说中的“以彼之道，还治彼身”。最后逼得庄子不得不偷换概念，才侥幸取得了这场辩论的胜利。只不过虽然惠子的论点在逻辑上能够通得过，但却也未必经得起推敲。

事实上我们都知道，庄子和鱼之间的距离远远大于他和惠子之间的距离。既然惠子不能知道庄子的感受，那么，庄子作为一个普普通通的人类，在缺乏超能力的情况下，又怎么可能知道一条鱼的感受呢？但是，最后庄子辩解道，他和鱼都是道的外物，因而在本质上是相通的，真的是这样吗？这就要从境界开始说起了。

关于境界说，王国维在《人间词话》里曾经有过这样的论述："有我之境，以我观物，故物我皆著我之色彩。无我之境，以物观物，故不知何者为我，何者为物。"

其实，庄子和惠子的辩论正是"有我"和"无我"之争。庄子的所谓"知鱼"是一种有我之境，但最后他又回到了无我之境，以童真来观鱼。可见，有我之境和无我之境之间并没有绝对的界限，两者可以统一。

名人名言

理解，绝对是养育一切友谊之果的土壤。

——威尔逊

最卓越的东西也常是最难被理解的。

——爱迪生

有些人的行为就像是一片韵文，其中每个音节都循规蹈矩：当一个人的思想分裂成那么多细小的观察资料，他怎能理解伟大的事物呢?

——培根

在螃蟹看来，人居然是朝前走的，一定十分好笑。

——利希滕贝尔

人们必须彼此理解，然后才什么都好办。

——左拉

如果你认为你的老师严厉，等你当了老板再这样想。

——比尔·盖茨

人们相爱的时候，永远是相互理解的。

——左拉

有时候一个人只有在他死后才能被人理解，就像读一本好书一样，只有读完了最后一行，才能理解。

——高尔基

人们永远也不能理解他们仇恨的那些人。

——洛厄尔

我们只能爱我们理解了的东西，而永远无法彻底理解我们不爱的东西。

——赫胥黎

对于朋友是不能要求太严，有时要能谅解是朋友之道中很重要的一条。评价友谊，要和历史环境、时代气氛联系起来。

——孙犁

要把同道的人当作朋友，而不必把同利的人当作朋友。

——罗曼·罗兰

如果我曾经或多或少地激励了一些人努力，我们的工作或多或少地扩展了人类的理解范围，因而给这个世界增添了一份快乐，那我也就感到满足了。

——爱迪生

理解还是很有用的！如果你不理解，你

就得不到什么。

——罗曼·罗兰

解释和理解是两个不同但又互为补充的认识手段。

——科恩

懵懂万岁!

——尼采

在某种程度上，我们每个人都有那么一点点不易察觉的疯狂。每个人的内心深处都是最孤寂的，每个人都是渴望理解的。

——雅斯贝尔斯

赞美是美德的影子。

——巴特勒

不敢赞美对手的人，是没有价值的。

——德莱顿

能使事业趋于正轨者还数忠言。

——培根

只有少数明智的人，才愿听逆耳的忠言，而不愿听那些言不由衷的赞扬。

——拉罗什富科

对善心的赞扬，就是以某种方式把善分给自己一份。

——拉罗什富科

时时用使人悦服的方法赞美人，是博得人们好感的好方法。记住，人们所喜欢别人加以赞美的事，便是他们自己觉得没把握的事。

——卡耐基

赞扬，像黄金钻石，只因稀少而有价值。

——塞缪尔·约翰逊

赞扬对高贵者是鼓励，对平庸者则是追逐目标。

——科尔顿

在鼓掌喝彩的时候总会有一些噪音，即使是自己对自己的喝彩。

——尼采

我们赞扬或责备他人的依据，就是看谁为我们提供了更好的机会来表现我们的判断力。

——尼采

在交谈中，判断比雄辩更重要。

——格拉西安

即使好心地称赞，也必须恰如其分。

——培根

对美的事物作似是而非的赞颂，这无异

于侮辱。

——安格尔

我们总是更多地赞扬我们认为要赞扬的东西，较少赞扬值得赞扬的东西；我们总是更多地蔑视我们认为要蔑视的东西，较少蔑视值得蔑视的东西。

——霍尔巴赫

赞美是迷惑才能的美人鱼。

——儒贝尔

诅咒使人振奋，赞誉使人松懈。

——布莱克

我宁可让人侮辱我的好诗，也不愿别人赞美我的坏诗。

——雨果

5.

幽默就是真话

☞ 我们真真切切地活在这个世界上，幽默让我们感受到真真切切的快乐。幽默是转换器，输入的是痛苦，输出的是快乐。幽默把生活中的痛苦转换成了快乐。

☞ 幽默是这样一种人生态度：因为痛苦，我们幽默；因为幽默，我们快乐！

☞ 能成大气候的人，不会为那些鸡毛蒜皮的细微小事而斤斤计较、大动肝火，凡事都抱达观随和的态度，做到谈笑自若。因此，幽默往往能化解重大的危机。

☞ 在通常的情况下，虽然竞争是一种必须，但退让也是一种智慧，放弃则是一种清醒。

☞ 幽默总是与宽容结伴而行。幽默本质上就是一种宽容，对自己、对他人、对世界的宽容。

故事 23

魔鬼词典

人：上帝眼中的蚂蚁，蚂蚁眼中的上帝。

文化：大致上是我们做、猴子不做的事情。

爱：糖拌西红柿，外加一壶伦敦产的老醋。

爱情：在你觉得生活无法再好时开始，又在你觉得生活无法再坏时结束的那一段心灵状态。

脑死：就是当一个人处在热恋中的状态。

永远：让爱情惧怕的一个概念。

蜜月：结婚典礼与真正的生活之间的那段时光。

道德：你越有道德，你赚的钱越少。

金钱：这是个特别复杂的东西。有时是人人为之奋斗的目标，有时是一切关系的链条，有时又是一副手铐。

天赋：教育学从始至终恨之入骨并千方百计扼杀的东西。

老实：“无能”的一种委婉说法。

能力：就像一张支票，除非把它兑换成现金，否则毫无价值。

忍让：在强大于自己的人面前表现出的一种风度。

牙医：从你嘴里拿走什么东西或往里放什么东西，然后跟你要钱的人。

地质学家：在被埋进地球之前埋头研究地球的人。

交通警察：争论时永远不会输的人。

新兵：他身上的衣服使他有别于普通老百姓，而他走路的姿势却又使他和真正的士兵截然不同。

外语老师：校园里最早与国际接轨的人。

会计：除了老婆以外，可以合法地侦探经理钱袋的人。

天使：上帝的走卒。谁也没见过的女工。但是，当我们从某个阴郁的过去脱颖而出时，你会感到她的翅膀在碰你。

人工智能：试图让电脑自己思考的一种尖端技术，就像试图让潜水艇自己游泳一样。

人寿保险：它关心的不是你的死亡，而是你的死亡方式。这完全是金钱抓住人性弱点的又一个明证。

苹果：它最光辉的一刻是砸在了牛顿的头上。

笨蛋：你所熟悉的东西他不知道，他知道的东西你也一无所知。

茅台：喝者不买、买者不喝的酒。

流言与会议：两者的区别是，一种应用于想干不想说的事情，一种应用于想说不想干的事情。

美容：一种移山倒海、开河挖沟的巨大工程，只是施工场地在人的身上。

惊喜：看到煮熟的鸭子飞走后又蹒跚走回来的那种感觉。

遗传工程：人类把自己的意志强加给自然的一种方法。

忍气吞声：婚后男人经常苦练的软气功。

道歉：为未来的冒犯埋下的伏笔。

故乡：别人只喊你小名的地方。

忠告：听了会难受，不听会更难受的话。

火炮：国与国之间用来调整边界的一种仪器。

空气：慷慨的上帝赏给穷人的营养品。

舒坦：看到邻居的焦虑而产生的一种内心状态。

公告板（BBS）：一个允许用假名说真话的地方。

病毒：一种真正的实实在在的免费软件。

空调：专门和老天爷唱反调的一种机器。

代沟：刚刚适应了儿子的长发，他又剃

了光头。

电话：这是一种电子谈话装置，是供那些不能面对面撒谎的人用的。

眼泪：从瞳孔里挤出来的一些咸涩的思想，有时也是极具杀伤力的化学武器。

草：长在庄稼地里需要锄，长在足球场上需要护。

减肥：自己的东西不一定都好。

天堂：就是所有的女人都在，只有你老婆不在的地方。

马路：用来测试挖掘机性能和行人涵养的装置。

投资：一种类似于在赌场下注的活动，区别在于：投资者最后至少可以获得一个“破产”的荣誉称号，而赌输了的则被人称作“赌棍”。

广告学：更好地让现代人活得无处藏身的招魂术。

意外：由于不可改变的自然规律突然打了一个喷嚏而无法避免地发生的事件。

保释金：法律公然接受的贿赂。

公司：最先出现在资本主义早期的社会群体，赚钱是它们唯一的目的，破产后可优先撤退。

好奇心：缺乏理解和交流的现代人对别人隐私的饥渴。

反感：这种特殊的情感不针对敌人，不针对朋友，只针对朋友的朋友。

家族史：也许是历史这门学问中真实性最强的一个分支，根据不同的需要，我们可以从中找到不同的祖先。

贪婪：由于对财富的单相思而产生的排他心理。

弃权：因不愿意得罪于人而放弃表决权，最终导致得罪了所有的人。

鼓掌：讲话终于结束时，听众表达庆幸之情的通用方式。

MBA：married but available（已婚，但仍可与之约会）。

PHD：permanently head damage

（永久性大脑损伤）。

酷评

幽默是最大的实话

幽默是什么？幽默就是最大的实话。

第一，幽默是一种真实的人生态度。

一千个人眼中就有一千个哈姆雷特，一千个人心中也有对幽默的一千种理解：幽默是一种胸怀，幽默是一种宽容，幽默是一种练达，幽默是一种智慧，幽默是一门艺术，幽默是……其实，幽默更是一种真实，是人们对“真”的渴望和追求。

第二，幽默与真实具有共同的特质。

真实的东西最能打动人的心灵。真实是自然的，真实是轻松的，真实也是深刻的，而自然、轻松、深刻恰恰都是幽默的特质。比如，莎士比亚曾经这样评价金钱：“金子，金黄的、发光的、宝贵的金子。这东西，只这一点点儿，就可以使黑的变成白的，丑的变成美的，错的变成对的，卑贱变成尊贵，老人变成少年，懦夫变成勇士。”何其幽默！何其真实！

第三，人们因为喜欢自由而喜欢幽默。

人人都对自由充满了渴望，对自由地表达自己的情感、态度、思想充满了渴望，而真实正是一种最大的自由。每当人们从幽默中读出了真实，他们便发出会心的微笑，因为他们觉得好自由、好畅快。

第四，幽默是一种勇气。

幽默者，常常用快乐的外衣去包装真实而残酷的现实。幽默者认可生活的真实，敢于面对生活的真实。《魔鬼词典》能够勇敢地承认生活的真实，虽然带有几分无可奈何，但也用略显夸张的哈哈镜语言道出了几分真实。所以，幽默是一种勇气，一种面对真实的勇气。

第五，幽默是真实者的特权。

幽默是真实者的特权，虚假者从来都是战战兢兢，他们只会担心自己的真实面目被揭露，根本没有时间去快乐一下。如果说，悲剧是将人生中有价值的东西撕碎给人看，那么，幽默就是把事实调侃给人听。

第六，幽默给人生带来快乐。

我们真真切切地活在这个世界上，幽默让我们感受到真真切切的快乐。幽默是转换器，输入的是痛苦，输出的是快乐。幽默把生活中的痛苦转换成了快乐。

幽默是这样一种人生态度：因为痛苦，我们幽默；因为幽默，我们快乐！

故事 24

伟人的幽默

英国首相威尔逊，在一次演讲刚刚进行到一半时，台下突然有个捣蛋分子高声打断了他："狗屎！垃圾！"

威尔逊虽然受到了干扰，但他急中生智，不慌不忙地说："这位先生，请少安毋躁，我马上就会讲到你所提出的关于环保的问题。"

全场人不禁为他机智的反应鼓掌喝彩。

掌握自己的情绪，才能掌握自己的未来。

英国首相丘吉尔在公开场合演讲，从台

下递上一张纸条，上面只写了两个字："笨蛋"。丘吉尔知道台下有反对他的人等着看他出丑，便神色从容地对大家说："刚才我收到一封信，可惜写信人只记得署名，忘了写内容。"丘吉尔不但没有受到不良情绪的控制，反而用幽默将了对方一军，实在是高！

学会控制情绪：一张口开莲花香，一双手勤做善事，一颗心有情有义，一辈子欢喜自在。

有一次，萧伯纳在街上行走，被一个冒失鬼骑车撞倒在地，幸好没有大碍。肇事者急忙扶起他，连声道歉，萧伯纳拍拍屁股诙谐地说："你的运气真不好，先生，如果你把我撞死了，就可以名扬四海了。"

有幽默感的人，遇事经常思考，保持正面态度，在遇到困难时，容易化险为夷。

酷评

智慧塑造幽默

从这些幽默的言语中，不难看出幽默是

智才明哲高超的文化素质和艺术修养。

幽默是智慧的闪光。幽默不是庸俗的、轻浮的笑语，不是油嘴滑舌的表现，而是洞察世界，入木三分，又言简意赅，含蓄诙谐，寓意微妙，思想深邃，给人以启迪和韵味。

幽默可以使人遇到困难而乐观进取。幽默给人最强烈的印象是：乐观自信。有幽默感的人与别人交往，总是不慌不忙地侃侃而谈，而且逻辑缜密，自然地流露出自己的内心感情，轻松自如地表现出这种内心情感。这种乐观自信不是凭空而来，而是来自扎实的文化素养和完美的内心世界。

幽默是种机敏的应变能力。机敏是一种优秀的素质，它能使人反应灵敏，巧解人意，并能以惊人的自制能力防止在对方刺激下诱发出不良情绪，使双方的对抗情绪得以缓解，消除困境。而机敏的人，最容易受到众人好评。

幽默也能塑造心胸开阔、襟怀坦荡的性格。能成大气候的人，不会为那些鸡毛蒜皮的细微小事而斤斤计较、大动肝火，凡事都抱达观随和的态度，做到谈笑自若。因此，幽默往往能化解重大的危机。

故事 25

弗洛伊德的幽默

其一

弗洛伊德教授 70 岁生日宴会上，一位亲戚问弗洛伊德，他是否能把自己的工作做个概括。

教授想了想说："我们领着病人走出精神烦恼，使他们恢复共同的痛苦。"

其二

弗洛伊德有三个姊妹。她们终身不嫁，各住一间小公寓，生活费均由弗洛伊德和他弟弟支付。三姊妹生活很俭朴。

他弟弟问西格大叔（全家人都这样称弗洛伊德），是否能让三姊妹住在一起。

“这样既合理，又省钱。”弟弟说。

弗洛伊德说：“不错，这很合理。但是，不符合心理学。”

于是，三姊妹仍然各居一地。

酷评

人际关系像刺猬取暖

弗洛伊德可以把一个很高深的学问，用一句很简单的话回答出来。这样的人，我们称为智者。

我们来回味第一个故事。它告诉我们，人人都有自己的烦恼和痛苦。只有精神病人的人生，才没有烦恼和痛苦。烦恼和痛苦并不可怕，它是组成人生的重要元素。其实，弗洛伊德的这句话是一种自嘲。

我们来回味第二个故事。它告诉我们，人和人之间的关系就像刺猬取暖。天气寒冷，刺猬要靠在一起互相取暖，但是，又不能靠得太近，那样身上的刺会把彼此戳痛的。人际关系也是一样。人和人之间，要保持一个适当的距离。太远，会感到孤独；太近，则会彼此伤害。在通常的情况下，虽然竞争是一种必须，但退让也是一种智慧，放弃则是一种清醒。

故事 26

林肯幽默服人

林肯是美国第 16 任总统，他统一全美，解放黑奴，并推行民有、民治、民享的政治理想，备受后人尊重。他具有仁厚的胸襟、诚恳的态度以及过人的修养。

林肯的妻子玛莉骄奢泼辣。在一次宴会上，林肯无意说了一句使玛莉不痛快的话，她竟当着众多宾客，把一杯热咖啡泼在他脸上，而林肯却什么话都没说。虽然“家有恶妻”，但他却从不批评自己的妻子。

西奥多 · 罗斯福总统很佩服林肯的涵养，

所以每遇困难，就会凝视林肯的遗像自问："如果林肯先生处在这种状况下，他会如何处置呢？"西奥多·罗斯福常能从中获得良策。

其实，林肯的度量并非天生的。他年轻时喜欢批评别人，不仅写信批评，甚至当面斥责。一次，因批评人差点和人决斗，从此，林肯性格大变，成为一个仁慈宽厚的人。

林肯生性幽默机智，南北战争时，一位将军从前方发回的战况太简略，林肯下令战报务必详尽。

这位将军看了命令很不高兴，马上拍了份电报给林肯："缴获母牛六头，请示如何处置。"

林肯看了电报，知道将军生气了，立刻回电："速挤牛奶。"

将军看了，哈哈一笑，怒气全消。

酷评

学会幽默化生存

幽默总是与宽容结伴而行。幽默本质上

就是一种宽容，对自己、对他人、对世界的宽容。

林肯是幽默的，林肯更是宽容的。他习惯了宽容，也就习惯了幽默。幽默对于林肯，已经变成了一种自然流露的习惯，没有丝毫斧凿的痕迹。林肯改变了自己的性格，变得宽容大度，取得了成功。这条路，也许我们也可以走。

苏格拉底的妻子是有名的“悍妇”。有一次，他的妻子在大骂一顿之后，把一桶水从楼上浇在了苏格拉底头上。苏格拉底说：“我就知道，惊雷过后肯定会有倾盆大雨。”正是因为这种肚量，苏格拉底成为了举世闻名的哲学家。他的宽容，也已经成为一种习惯，而这种习惯恰恰造就了他的幽默和睿智。

幽默不是一种技巧，很难一学就会。幽默是一种品质，可以通过学习养成。从宽容出发，养成幽默这样一种良好的人生习惯，最终就可以幽默化生存。

故事 27

糟糕的降落

某次航班的飞行员在一次降落时，把飞机重重地降落到了跑道上。

航空公司有规定，乘客下飞机时，机长必须站在门口面带微笑目送乘客下飞机，并彬彬有礼地说："感谢您乘坐本次航班。"

由于这次糟糕的降落，机长站在舱口说这些时，他简直就不敢看乘客，生怕有人会嘲笑他。

所有的乘客都下飞机了，只剩下一位拄着拐杖的老太太。

她说道："孩子，我可以问个问题吗？"

"当然可以，太太，你想问什么问题？"

"我们是降落的还是被击落的？"

酷评

委婉地表达自己的不满

假设老太太神情严肃地数落了机长，说他不负责、技术差，结果会怎样？机长依然尴尬，但尴尬中也许会有愠怒，比之现在孩子吐舌头般的俏皮，效果肯定有天壤之别。

人是爱面子的动物，中国人尤其爱面子。美国传教士明恩溥的《中国人的素质》、幽默大师林语堂的《中国人》，都对这个问题有过精辟的论述。

人们都宁愿相信自己的失误是偶尔为之，这时，直白的批判对他们显然是一种不小的伤害。而出于自我保护，他们越发觉得自己没有错。人的耳根其实很软，委婉的批评往往让他们牢记在心，甚至会说："谢谢你！"——因为你不光指出了他的错误，更保全了他的面子。

委婉是什么？委婉是幽默诙谐，不是挖苦讽刺；委婉是和风细雨，不是低声下气；委婉是辞能达意，不是绕来绕去。人都会犯错，我们何必得理不让人呢？

有一条重要的人生原则是：自己活，也让别人活（live and let live）。

故事 28

哲学家的幽默

希腊哲学家普罗泰戈拉有这样一句名言："人是万物的尺度。"这句话听起来似乎颇有道理，它一度成为主观唯心主义论者衡量事物的标准。而哲学家蒙田对这个问题提出了质疑，他说："他给我们编了一个令人难以置信的故事，把人当做物的尺度，却从来不曾量量他自己。"

古希腊哲学家苏格拉底最早的弟子之一欧几里得，是当时麦加拉学派的创始人之一。

他曾提出许多有名的论辩，而其中最为有名而且曾被列宁引用的则是“谷堆辩”与“秃头辩”。

欧几里得认为，一粒谷子形不成谷堆，少一根头发也成不了秃头，即使再加一粒谷子或减少一根头发也成不了谷堆和秃头。如果继续这样一粒一粒增加，一根一根减少，那么何时才能成谷堆或者秃头呢？

苏格拉底的妻子脾气暴躁，有人问苏格拉底为何娶这样的女人为妻，他笑道：“如果你能驯服一匹烈马，那么其他马又有何难驾驭的呢？我能忍受这样凶的人，天下人谁不能做我的朋友呢？”

斯宾诺莎注意到“一般的信仰中都把上帝描绘成男性而不是女性”，他认为这只不过反映了人世间妇女屈从于男子的状况。有人曾为此写信反对他的观点，他回信进一步阐述自己的观点：“你说如果我不承认上帝能看、能听、能观察、思维等，你就不会知道我的上帝是个什么样子……对此我并不奇怪，因为我相信，一个三角形如果能说话，也会以同样的口吻说上帝是杰出的三角形；而一个圆圈也会认为神性是一个出色的圆圈；这就是说，每一种事物都会把自己的属性加在上帝身上。”

古往今来哲学家们对人类的生与死的问题进行了不懈的探讨，而古希腊哲学家伊壁鸠鲁对生与死的论述却不使人感到沉重。他说：“一般人有时逃避死亡，把它看成是最大的灾难，有时却盼望死亡，以为这是摆脱人生灾难的休息。一切恶中最可怕的——死亡，对于我们是无足轻重的，因为当我们存在时，死亡对于我们还没有来，而当死亡时，我们已经不存在了。死对于我们无干，因为凡是消散了的都没有感觉；而凡无感觉的就是与我们无干的。”

酷评

哲理化生存

什么是哲理化生存？

哲理化生存就是智慧地生存。哲学家是智者，哲学家最关心人自身，他们把认识人类自身作为哲学思考的终极目标。只有认识了自己，才可以认识整个世界。人们总是喜欢用“有用”和“没用”作为评价一个思想的准绳，那是相当愚昧的。哲学家为我们提供的是一种思维方式，一种人生态度，而不是生存技能。

哲理化生存就是信仰坚定地生存。哲学家信奉真理，信奉人类无比崇高的内心。他们愿意为人类的思想事业贡献自己的一生，他们在追求真理中实现和体验着自己的价值，他们以此为乐。

哲理化生存就是宽容大度地生存。哲学家对真理的热爱超越了一切的怨恨和不满，他们纯净的心灵可以过滤一切的丑陋与邪恶。

哲理化生存就是漠视生死地生存。哲学家对生死充满了思考，充满了敬畏，却从来不会惧怕。他们害怕的是自己失去思考的能力，失去追求真理的条件。他们害怕人类的思想止步不前，他们从来不担心生死。

名人名言

幽默与严肃互为验石，因为不愿接受善意的玩笑，其中必有疑处，而经不住审度的玩笑也一定是智慧。

——高尔克亚

有许多真实的话都是在笑话中讲出来的。

——斯威夫特

用玩笑来应付敌人，自然也是一种好战法，但触着之处，须是对手的致命伤，否则，玩笑终不过是一种单单的玩笑而已。

——鲁迅

一个真有幽默的人别有会心，欣然独笑，冷然微笑，替沉闷的人生透一口气。

——钱锺书

一个成功的人，是以幽默感对付挫折的。

——詹姆斯·潘

我相信幽默感也是魅力的一个组成部分。有了幽默感，人们可以在一种非常融洽的气氛中彼此交流思想和看法。缺乏幽默感，生活就变得非常单调和枯燥。

——索菲亚·罗兰

幽默是一种心理状态。进而言之是一种观点，一种对人生的看法。

——林语堂

幽默可以说是能给人以微妙感的调剂生活的佐料。由于某种轻巧的幽默，就可以使当时的气氛为之改观，使陷于僵局的悬案豁然解决。

——大平正芳

幽默的内在根源不是欢乐，而是悲哀；天堂里是没有幽默的。

——马克·吐温

幽默感就是分寸感。

——纪伯伦

幽默和风趣是智慧的闪现。

——莎士比亚

幽默是多么艳丽的服饰，又是何等忠诚的卫士！它永远胜过诗人和作家的智慧；它本身就是才华，它能杜绝愚昧。

——司各特

一清如水的生活，诚实不欺的性格，在无论哪个阶层里，即使心术最坏的人也会对之肃然起敬。

——巴尔扎克

坦诚相见，和衷共济，不要把愤怒埋在心里，使它生霉、发酵。

——林语堂

始终不渝地忠实于自己和别人，就能具备最伟大的才华和最高贵的品质。

——歌德

即使开始时怀有敌意的人，只要抱着真实和诚意去接触，就一定能换来好意。

——池田大作

诚实比一切智谋更好，而且它是智谋的基本条件。

——康德

有了真诚，才会有虚心，有了虚心，才

肯丢开自己去了解别人，也才能放下虚伪的自尊心去了解自己。

——傅雷

真实与朴实是天才的宝贵品质。

——斯坦尼斯拉夫斯基

在我们与后代说“诚实为上上策”之前，我们必须使世界变得诚实。

——萧伯纳

伟大人格的素质，重要的是个诚字。

——鲁迅

我不愿卖弄任何东西，只想真实地表现自我，表现我的本来面目。

——蒙田

我所信任的人应该是每时每刻都吐露真音的人，不懂的地方就干脆承认不知道。

——武者小路实笃

一个诚实的人，不论他有多少缺点，同他接触时，心神会感到清爽。这样的人，一定能找到幸福，在事业上有所成就。这是因为以诚待人，别人也会以诚相见。

——池田大作

在骗人的世界里，诚实的人反而会被当骗子看待。

——安德烈·纪德

诚实的人必须对自己守信，他的最后靠山就是真诚。

——爱默生

唯有真诚者，能识别真诚。

——卡莱尔

我要求别人诚实，我自己就得诚实。

——陀思妥耶夫斯基

走正直诚实的生活道路，必定有一个问心无愧的归宿。

——高尔基

没有诚实，何来尊严？

——西塞罗

人性的尊严与光荣不在精明而在诚实。

——蒙森

伟大的诚实是雄辩的利斧。

——罗曼·罗兰

老老实实最能打动人心。

——莎士比亚

连上帝也会帮助诚实而勇敢的人。

——米南德

没有什么手段比说谎更下贱，更可怜，

更卑鄙了。

——杰弗逊

虚伪永远不能借它生长在权力中而变成真实。

——泰戈尔

坦白是诚实与勇敢的产物。

——马克·吐温

世界上最浩瀚的是海洋，比海洋更浩瀚的是天空，比天空还要浩瀚的是人的心灵。

——雨果

6.

团队促进成长

☞ “人”字的结构，就是互相支撑。一个由相互联系、相互制约的若干部分组成的整体，经过优化设计后，整体功能能够大于部分之和，产生 1+1>2 的效果。

☞ 兔子跑得快，于是，在陆地上兔子背着乌龟跑；到了河边，乌龟又背着兔子过河。最终，它们达到了双赢的局面。

☞ 痛苦和快乐一样，都要有人一起分享。没有人分享的人生，无论面对的是快乐还是痛苦，都是一种惩罚。

☞ 目前，“朋友经济”在经济活动中的作用日益显现。这里的“朋友”，不仅仅是指你的朋友，也可以是朋友的朋友，甚至是未来的朋友。一个人的力量是有限的，集体的力量是无限的。

故事 29

一道终身受用的测试题

一家公司要招收新的职员，这是其中一个测试题。

故事总是发生在一个暴风雨的夜晚：

在一个暴风雨的夜晚，你开着一辆车，经过一个车站。

有三个人正在那里等公共汽车。

第一位是个垂死的老人，很可怜。如果你现在不去救他，那么，他肯定就会死在这个车站上。

第二位是医生，他曾救过你的命，你一

直想报答他，但一直没有机会。

还有一位是你的梦中情人，一旦今天错过，也许就再也没有机会见面了。

但是，你的车只有两个座位。也就是说，除了驾驶座，只能再坐一个人。

你怎么办?

请仔细考虑一下。

酷评

学会放弃，追求多赢

这道题目并不是要测试你的性格。

一般来说，有以下三种答案。每一种都是有理由的：

答案一，救老人。老人快要死了，首先应该先救他，没有什么比生命更重要。

不选这个答案也是有理由的：每个老人最后都只能把死作为终点，或许救他也不一定能成功，反而会让他更痛苦。

答案二，让医生上车，知恩图报，人之常情。

不选这个答案也是有理由的：将来某个时候一样可以再去报答他。

答案三，让梦中情人上车，爱情至上。

不选这个答案也是有理由的：见死不救，知恩不图报，枉披一张人皮！这样的人，有什么爱情可言。

所以，在这个假设的绝境中，人人会面对两难选择。答案无所谓对错，关键在于你看重什么。

然而，在200名应征者中，只有一个人被雇用了，他并没有解释任何理由，只是说了以下的话："给医生车钥匙，让他带着老人去医院，而我留下来陪我的梦中情人一起等公交车！"

也许我们从未想过要放弃我们手中已经拥有的优势。在这个例子里，如果我们能放弃一些我们的固执、狭隘，以及所谓优势的话，我们才能得到多赢结果。

故事 30

V 形飞雁

大雁有一种合作的本能，它们飞行时都呈 V 字形。

因为为首的雁在前面开路，能帮助它两边的雁形成局部的真空。科学家发现，雁群以这种形式飞行，要比单独飞行多飞出 12% 的距离。

这些大雁飞行时，还会定期变换领导者，大家轮流做领头雁。

合作可以产生 1+1>2 的倍增效果。

学会与人合作

“人”字的结构，就是互相支撑。

一个由相互联系、相互制约的若干部分组成的整体，经过优化设计后，整体功能能够大于部分之和，产生 1+1>2 的效果。

据统计，诺贝尔获奖项目中，因协作获奖的占三分之二以上。在诺贝尔奖设立后的头 25 年，合作奖占 41%，而现在则跃居 80%。

分工合作，正成为企业中工作方式的一种潮流，而被更多的管理者所提倡。如果我们能通过合作，把容易的事情变得简单，把简单的事情变得更容易，那么，我们做事的效率就会倍增。

世界正逐步向简单化、专业化、标准化发展。合作，就是简单化、专业化、标准化的一个关键。

作为一个社会人，与人合作，是理所当然的事情。与人合作，有很多注意事项，诸如制定合理目标，进行明确分工，相信自己，相信团队，互相协调，勇于揽责……而其中最重要的一条是：分工明确。

故事 31

简单道理

从前，有两个饥饿的人得到了一位长者的恩赐：一根鱼竿和一篓鲜活硕大的鱼。

其中一个人要了一篓鱼，另一个人要了一根鱼竿，于是他们分道扬镳了。

得到鱼的人原地就用干柴搭起篝火煮起了鱼，他狼吞虎咽，还没有品出鲜鱼的肉香，转瞬间，连鱼带汤就被他吃了个精光。不久，他便饿死在空空的鱼篓旁。

另一个人则提着鱼竿继续忍饥挨饿，一步步艰难地向海边走去，可当他已经看到不

朋友只有三种
要么有用 要么有趣
要么画幅简单的漫画
把這个道理告诉你
潘方爾漫畫

远处那片蔚蓝色的海洋时，他浑身的最后一点力气也使完了，他也只能眼巴巴地带着无尽的遗憾撒手人间。

又有两个饥饿的人，他们同样得到了长者恩赐的一根鱼竿和一篓鱼。只是他们并没有各奔东西，而是商定共同去找寻大海，他俩每次只煮一条鱼，他们经过漫长的跋涉，终于来到了海边。

从此，两人开始了捕鱼为生的日子。

几年后，他们盖起了房子，有了各自的家庭、子女，有了自己建造的渔船，过上了幸福安康的生活。

酷评

眼光放远，互相合作

这则故事至少给我们带来了以下三点启示。

其一，眼光放远。一个人只顾眼前的利益，得到的终将是短暂的欢愉；一个人目标高远，但也要面对现实的生活。只有把理想与现实有机地结合起来，才有可能成为一个成功之人。有时候，一个简单的道理，却足以给人意味深长的启示。

其二，互相合作，追求双赢。一个人本领再大，总是有限的。这则故事生动地表明，合则双赢，分则双输。是的，资源整合就是合作，就是多赢的合作。

其三，分段实现自己的目标。这则故事中的两组人，起点是一样的：一根鱼竿和一篓鱼。但后面那两位却从这个起点出发，一步一步赢得一个幸福的人生。

如果我们明白这个道理，我们就多一次成功的机会。

故事 32

一念天堂，一念地狱

一个虔诚的教徒想弄明白，究竟天堂和地狱有什么不同。于是，他找到了先知伊利亚。

“聪明的人儿，”他问道，“你能不能告诉我，哪是天堂，哪是地狱？”

伊利亚没有回答，而是带他来到了一间屋子。

屋子里挤满了人，有富人，也有穷人。屋子中间摆放着一个大铁锅，里面盛满了汤，整个大厅弥漫着汤的香味。奇怪的是，屋子里的人个个无精打采，面黄肌瘦。原来，盛汤的长勺足有一人多高。那些饥饿的人贪婪地拼命用勺子在锅里搅着，但谁也无法把汤盛出来，更无法把汤靠近嘴边去喝。一些鲁莽的家伙甚至把汤汁溅在别人身上，烫坏了人家的脸和手。于是，大家争吵起来，还挥舞着原本为了解决饥饿的长勺，大打出手。

伊利亚对那位信徒说："这就是地狱。"

之后，他们又来到另一间屋子。这里也有许多人，屋子中央也摆放着一大锅热汤。和刚才的那间屋子一样，铁锅里照样放着一把长勺。但是，这里的人营养状况很好，面色红润。大厅里只听见勺子放入汤中的声音，一切井然有序。他们两个人一组在那儿工作：一人将勺子放入锅中又取出，然后喂他的同伴，接着两人交换。这样，每个人都可以喝到汤。

先知伊利亚对他的教徒说："这就是天堂。"

酷评

合作才会双赢

天堂和地狱确实只有一线之隔，互相合作可以使地狱变成天堂，自私自利却只能让天堂成为地狱。同样的屋子，同样的食物和餐具，如此毫无差别的生存条件却因不同的做法，而收到截然相反的效果。

大家都有汤，所有的条件都一样。从表面上看，身处天堂的人更高尚无私，被称作地狱的那个屋子里的人贪婪自私、罪有应得。而事实上，天堂里的人不可能个个大公无私，地狱里的人也并非全都自私无情。关键是，天堂的人意识到，我们不合作就得饿肚子！这是一个很简单的道理，为什么天堂的人能吃饱，因为他们懂得团结的重要。

人生来就是群居动物，我们生活在社会的大网之中，彼此联系、互相依靠。没有人能够离开团体，独自取得成功。在大自然面前，人类是渺小的，唯有齐头并进，才能互惠互利，达到双赢。

抛去成见，摒弃无谓的争论，和平发展世界，这是一个多么令人欣喜的人间天堂！

故事33

没喝就知道茶好

冯骥才的老天津故事里面，记录了一个关于李鸿章喝芝麻茶的故事：

天津有一种芝麻茶特别好吃。李鸿章到了天津，天津府设宴接待他，大小一班官员都到了。李鸿章坐定以后，当地官员叫来了茶老板，用当地最好的特产黄芝麻茶来款待他。

没想到李鸿章并不知情，还以为漂在茶水上面的黄芝麻是尘土，一怒之下把茶杯给砸了。

送茶的老板是一位见过世面的人，只见他不慌不忙，上前跪下，说道：

“小的该死，不知道中堂大人不喜欢黄芝麻。”

这时，李鸿章才知道是自己孤陋寡闻了，同时暗暗称许老板的聪明。于是，他立刻笑着说道：“算了算了，不过，你这茶还真是好茶！”

第二天，天津便传开了：李鸿章还没喝，就夸茶好，这茶真的很厉害呢！

如何为对方提供一个台阶下，是重要的处世之道。

酷评

适时为他人搭建台阶

多为对方考虑，需要的时候就给别人一个台阶下，于人于己都有好处。

《左传》中有这么一个故事：春秋时期，齐景公有一次强令民工造大台，闹得齐国民不聊生，众百姓苦不堪言。正巧晏婴出使回来目睹了这一情景，他马上进言齐景公不要造台，齐景公总算同意了。晏婴却不急于回

灯下看闲书
且饮一壶茶
面对这世界
不知该说啥
方丽画

家，而是立即赶到工地，催促民工抓紧干活，稍有懈怠，就以鞭子抽打。晏婴骂累了、打累了，这才离开。他刚走，齐景公的传令官就到了，下令停止施工，解散民工，大家可以回去和家人团聚了。民工一听此令，齐声欢呼，好像遇到大赦一般，高高兴兴地赶回家去了。晏婴这样做，是故意把贤名让给君王，把恶名留给自己。孔子对晏婴拆台就是搭台的做法大为欣赏，说他既纠正了君王的过失，又使百姓感受到了君王的仁义。

人无完人，不管做到多高职位的人，他总有出错的时候。聪明的下属这时候就要为挽回上司甚至公司的名声而不遗余力。这样做虽然可能让你牺牲很多，付出很多，但结果可能就是保全了上司或公司对外的良好形象。这样，对上司有利、对公司有利，甚至对整个团队来说都是有极大好处的，那么对自己的益处也就不言而喻了。每个人都难免会有犯错的时候，巧妙地让别人从尴尬中走出来，是一门高超的学问，也是一种本领。

故事 34

高步追许由

尧找到许由，想把天下让给他。

尧说："烛火的光亮跟日月的光辉比起来，就差得太远了。日月出来了，烛火就应该熄灭。大雨普降的时候，如果还要灌溉，对禾苗来说只是徒劳。先生如果在我的这个位置，一定会把天下治理得很好。但现在我还占据着这个位置，不是很惭愧吗？请允许我把天下交给先生治理。"

许由听了一言不发，转身跑到河边，捧起河水用力清洗耳朵。

良久，许由抬起头，对尧说：“你治理天下已经很好，我为什么要来替代你？难道是为了名吗？名与实，就像人与影子。我如果为了名来替代你，岂不是成了影子吗？鹪鹩在森林里筑巢，只需要占据一枝树枝就足够了；鼹鼠到大河喝水，也只不过需要喝满一肚皮。”

“算了，你还是回去好好治理天下吧！”许由向尧拱拱手，接着说：“天下对我来说没用。祭祀的时候，厨师即使不管烹饪之事，祭司也绝不会越职代替他烹饪的。”

酷评

自己的事业是最神圣的

首先，许由的境界是值得我们推崇的。现代社会分工相当明确，每个人都有自己的职责范围。一个人的工作在他自己看来，要比任何一个其他人的工作都要高尚得多，要他放弃自己的事业而去做别人的活，这简直是对他的一种侮辱。所以，天下对于许由而言又有什么吸引力呢？毕竟治理天下也不过就是一份工作罢了。

另外，这个故事还让我们认识到这样一个道理：筑巢于一枝并不等同不理其他的枝。近几十年来，学科的发展表现出了两个新的态势：一是各学科内部分工越来越细，整个学科愈加博大精深，任何人都无法凭借个人才智对整个学科进行穷尽性的研究；二是学科与学科之间的联系越来越紧密，不仅有一对一的学科联合，甚至还有几个学科的大联合。现代工程师在完成一个项目时，已经不能将电气、机械分开各自筹划，而必须做到“机电一体化设计”。新的时代，为我们带来新的、更加复杂的问题。我们在专注于本职工作的同时，也要关心相关的工作。

名人名言

单丝不成线，独木不成林。

——曹雪芹

大家为一人，一人为大家。

——大仲马

一个人只靠自己是存在不下去的，因为人总是乐于参加一个集体；即使他在那个集体里得不到休息，但无论如何他总可以得到心灵的平静和人身的安全。

——歌德

如果把我公司的资金、设备、场地、客户、原料全部拿走，只留下我的管理团队；四年之后，我还是钢铁大王。

——卡耐基

唯有具备强烈合作精神的人，才能生存，并创造文明。

——泰戈尔

天时不如地利，地利不如人和。

——孟子

力量在于团结。

——高尔斯华绥

以众人之力起事者，无不成也。

——管仲

人类的团结是永恒的。

——勒鲁

在人生道路上谦让三分，就能天宽地阔。

——卡耐基

团结——在人民需要的时候，它能帮助人民克服各种混乱！

——高尔基

我们就是要当那一群狼，我是头狼，但所有的狼要一起布阵，一起进攻和防守。

——姚明

只有团结一致，才能把伟大的事业和战争引导到好结果，否则就不能。

——德谟克利特

要像蜂房里的蜜蜂和土窝里的黄蜂那样，聪明人应当团结在一起。

——高尔基

人类终将发现，团结一致更容易满足人

类自身的所需，更容易避开包围他们的危险。

——斯宾诺莎

恶人成伙时，善良的人们必须要团结。

——伯克

为了能保持所有男男女女和睦相处，我们必须允许每个人保持其个性。

——叔本华

人而无情，何以谓之人?

——庄子

要人们去抗拒人之常情，是非常困难的。

——普卢塔克

原则最大的敌人是情面。

——普列姆昌德

情随事迁，感慨系之矣。

——王羲之

人情人情，在人情愿。

——施耐庵

要打动别人的心，自己的行为就必须合于人情。

——卢梭

在你有权有名望的时候，卑鄙的人是不敢抬起嫉妒的眼睛看你一眼的；然而，到了你一落千丈的时候，表现得最毒辣的就是他们。

——克雷洛夫

一个对小人物随随便便的人，对大人物却永远也不会随随便便的。

——屠格涅夫

诚挚的态度要比处处防范他人的态度有益得多。

——罗杰斯

大丈夫处世，当交四海英雄。

——陈寿

人是需要交际的动物。

——塞涅卡

一个人是不能跟大家完全隔绝地生活下去。

——莱蒙特

人类在相互交往中寻求安慰、价值和保护。

——培根

我们所知道的最好、最可靠、最有效而又最无副作用的兴奋剂是社交。

——爱默生

交际是人生的幸福。

——莎士比亚

没有社交，没有适合我们口味的社交，人就永远得不到满足。

——杰弗逊

社交犹如空气，人离不开，但光靠它来维持生命也是不够的。

——桑塔亚那

与志趣相同的人聚在一起时，交情也就开始了。

——爱默生

和一些和自己意趣相同的人交往，真可以使人受益不浅。

——泰戈尔

同一个美丽而聪慧的人相处，能使人紧张的神经放松，感情变得柔和。

——巴尔扎克

7. 人才决定未来

☞ **大器未必晚成，早有成功迹象。**

☞ **世界好比一个大工厂，我们每人手里都有几件与众不同的工具，这些便是我们的优势。只有会利用这些工具的人，才能造出自己想要的东西。**

☞ **只见店小二抬头看着山海关，舍弃狼毫大笔，拿起一块抹布往砚台里一蘸，大喝一声："一"，干净利落，立刻出现绝妙的"一"字，旁边掌声四起……**

☞ **世界上的工作有两种，一种叫打工，而另一种方法就是创业。你有没有为自己的未来铺设自己的财富管道？**

故事 35

大器之材

1965 年，我在西雅图景岭学校图书馆担任管理员。一天，有同事推荐一个四年级学生来图书馆帮忙，并说这个孩子聪颖好学。

不久，一个瘦小的男孩来了，我先给他讲了图书分类法，然后让他把已归还却放错了位的图书放回原处。

小男孩问："像是当侦探吗？"

我回答："那当然。"

接着，男孩不遗余力地在书架的迷宫中穿来插去。小休时，他已找出了三本放错地方的图书。

第二天，他来得更早，而且更不遗余力。干完一天的活后，他正式请求我让他担任图书管理员。又过两个星期，他突然邀请我上他家做客。吃晚餐时，孩子母亲告诉我他们要搬家了，到附近一个住宅区。孩子听说转校却担心：“我走了谁来整理那些站错队的书呢？”

我一直记挂着他。但没过多久，他又在我的图书馆门口出现了，并欣喜地告诉我，那边的图书馆不让学生干，妈妈把他转回我们这边来上学，由他爸爸用车接送。

“如果爸爸不带我，我就走路来。”

其实，我当时心里便有数，这小家伙意志如此坚定，则天下无不可为之事。我可没想到他会成为信息时代的大才、微软电脑公司 CEO、世界首富——比尔·盖茨。

酷评

大器未必晚成

在许多伟大或杰出人物身上，总有优于

或异于常人之处，会或早或迟地显示出来。在成名之前，这些“异象”犹如稍纵即逝的彗星，难以被人察觉。大多在功成名就之后，人们才想到他们当初的不凡。

林肯在5岁的时候，就问：“联邦，什么是联邦?”结果，他成了美利坚合众国第16任总统。罗素在7岁的时候，就考虑这样的问题：如果我能活到70岁，那么，我现在只度过我漫长生命的十分之一，剩下的十分之九该如何度过呢？结果，他成了世界著名的哲学家，并活到99岁。可见，大器未必晚成，早有成功迹象。

然而，残酷的事实是，许多人也有过类似的童年，却终究没能成为大器之才。这是毫不奇怪的。生活的铁律之一，是金字塔原理——只有极少数人，才有可能站在高高的塔尖上。

成功的道路十分艰辛，只要有一个要素不到位（更不用说出错），就与成功无缘了。

故事 36

三只鹦鹉

一个人去买鹦鹉，他看到一只鹦鹉前标着：“此鹦鹉会两门语言，售价 200 元。”

另一只鹦鹉前则标道：“此鹦鹉会四门语言，售价 400 元。”

该买哪只呢？两只都毛色光鲜，非常灵活可爱。这人转啊转，拿不定主意。

结果，他突然发现一只老掉了牙的鹦鹉，毛色暗淡散乱，标价 800 元。

这人赶紧将老板叫来：“这只鹦鹉是不是会说八门语言？”

店主说："不是的。"

这人奇怪了："那为什么又老又丑，又没有能力，会值这个数呢？"

店主回答："因为刚才那两只鹦鹉，都管这只鹦鹉叫老板。"

酷评

重用比自己能干的人

作为一个领导，你用什么样的人，实际上是一个自信问题。

有了足够的自信，你就可以大胆而放心地去任用贤才。否则，你自己没有自信，用的人都不如自己，最后变成武大郎开店。

优秀的领导，不一定要三头六臂，能力非常全面。其实，他自己的能力不一定要有多强，只要懂得信任、放权、珍惜、管理、团结，就能更好地利用在某些方面比自己强的人，从而自身的价值也得到提升。

相反，有许多能力非常强的人却因为过于追求完美，事必躬亲，那么，最终只能成

为某一方面的专家，无法成为领军人物。

管理就是你不做事，让人做事，让别人去做自己想做的事情。怎么样让别人去做，并且别人也愿意去做，这是一门学问。

故事 37

天下第一关

明朝万历年间，皇帝为了抗御强敌，决心整修万里长城。

当时号称天下第一关的山海关，早已年久失修，其中“天下第一关”的题字中的“一”字，已经脱落多时。皇帝募集各地书法名家，希望恢复题字的本来面貌。各地名士闻讯纷纷前来，但没有人能够写出天下第一关的原味。

皇帝于是再以重赏昭告天下。没想到最后经过严格筛选而中选的，竟是山海关旁一家客栈的店小二！

题字当天，会场被围得水泄不通，大家都想来看看他的书法如何高明。只见店小二抬头看着山海关，舍弃狼毫大笔，拿起一块抹布往砚台里一蘸，大喝一声：“一”，干净利落，立刻出现绝妙的“一”字。旁边掌声四起，要求再赐几字，小二却再也写不出其他的好字了。大家不解：为何这“一”字能写得如此成功？

原来，这位店小二工作的客栈正好面对山海关的城门，他每天拿抹布清理桌上的油污，视角正好对着“天下第一关”的“一”字。因此，他不由自主地天天看、天天擦，数十年如一日，久而久之，就熟能生巧、巧而精通，把这个“一”字临摹到炉火纯青、惟妙惟肖的地步了。

酷评

熟能生巧，勤能补拙

熟能生巧，关键是熟。

以写字为例，书法主要不是写，而是看。第一步是看字帖，然后是写，最后是对照。这就是所谓“一看二写三对照”，这个过程中，“看”占了两步，所以更重要的是“看”。了熟于心，才能一挥而就。

北宋时候有一个叫陈尧咨的人，非常善于射箭，当时的人都知道他是一个百发百中的射箭手，所以大家都对他很敬佩。陈尧咨受到大家的称赞之后，觉得自己的本领已是天下无双，便骄傲自满起来。可是，当他碰到一个卖油翁能从铜钱的孔里面倒油之后，就明白了熟能生巧的道理，再也不骄傲了。

我们相信：熟能生巧、勤能补拙。

庖丁解牛，目无全牛。熟悉了所做的事情，就能找出窍门，找出更好的办法。中国古人说：“熟读唐诗三百首，不会写诗也会吟。”只有勤学苦练，才能掌握技术。求学问的“真途”就是要做到“熟”。熟了之后你才有可能触类旁通，问一答三，最终才可进入“无为”而“无不为”的境界。

故事 38

飞蛾的痛苦经历

一天，一只飞蛾正在努力破茧而出，一个人很有兴趣地准备见识一下这个过程。

只见刚刚由蛹长成的蛾子在茧里努力挣扎，整个茧子都因为它的力量而扭来扭去。可是过了好久，这只蛾子似乎都不能挣脱茧的束缚。

这个人一开始还一直为蛾子加油鼓劲，但是等了半天还没看到结果。他开始不耐烦了，甚至觉得蛾子不可能破茧而出。

最后，他实在等待不了了，也不忍心看

着蛾子那么费劲，于是找了把小剪刀，在茧上剪了一个小洞，让蛾子出来可以容易一些。果然，不一会儿，蛾子就轻易地从茧子里爬出来了，但是和其他蛾子不同的是，它的身体非常臃肿，翅膀也异常萎缩，耷拉在两边伸展不起来。

他等着蛾飞起来，但那只蛾却只是跌跌撞撞地爬着，怎么也飞不起来，又过了一会儿，它就死了。

其实，蛾子在茧子里面的时候，翅膀是十分柔软的；当它破茧而出时，必须要经过一番痛苦的挣扎，让身体中的体液流到翅膀上去，翅膀才能灵活有力，它才能在空中飞翔。

酷评

梅花香自苦寒来

“宝剑锋从磨砺出，梅花香自苦寒来。”任何一种本领的获得，都要经由艰苦的磨练。任何投机取巧或妄图减少奋斗而达到目的的做法，都是见识短浅的行为。那只飞不起来的飞蛾的经历，就证明了这一切。

有不少人对人生旅途的坎坷和曲折估计不足。我们知道，人生之路不可能像机场跑道一样平坦笔直，更不可能像公园的小径一样处处盛开鲜花。人生的旅途上总是欢乐与悲伤并存，顺利与挫折交错，顺心和失意重叠的。特别是那些已经或者希望有作为的人，在前进的道路上，必然是先有“山重水复疑无路”的逆境，几经奋斗，才可能迎来“柳暗花明又一村”。所以，当我们在前进的道路上遇到了困难和挫折时，千万不要悲观迷惘。我们一开始就要认清这一点：要成功并不容易。想要获得成功，就得要有战胜困难挫折的勇气和信心。

在此基础上，要成就未来，我们也不能违反规律。在迈向成功的奋斗过程中，要掌握好个人能力观、流动观、演变观的尺度，在工作与生活中不要太个人主义。有的时候，自己认为是对的，却不一定符合真理。正如故事中的那个人，因为违反了自然规律，本来是一片好心想帮助蛾子，没想到却害了它。所以，在不断为成功而奋斗的路途上，也要看清楚什么是应该做的，什么是不能做的。

成功没有捷径，一切努力都靠自身！

故事 39

沉默的康德

在哲学史上，有人风趣地说，康德是最能沉默的人，他一沉默就是 12 年！尽管此话有些言过其实，但康德的确是长时期保持沉默的哲学家。

从 1770 年开始，康德就计划写一部关于人的认识的哲学专著。他反复思考这部书的结构和内容，搜集资料，对论述的每个问题进行分析和比较。为了集中精力思考，他很少写文章，也很少参与外界的活动，完全陷入了深思之中。

这时，有关心康德的人写信问他：“您为什么沉默，为什么总是那些外行人在写作，而不是擅长笔墨的您在写作？您为什么沉默？在这样一个新时代，您怎么不一显身手，您在睡觉？……”

康德没有回复。

而在康德的办公桌上，草稿越堆越高。有一次，康德的一个学生在哥廷根对当地一群教授们声称，在他老师的办公桌里有一本

写好的著作，它将使在场的教授们“心惊胆战”。这番话引起一阵讪笑，他们说指望康德搞出点什么名堂，那是徒劳妄想。康德不理会人们的怀疑甚至诋毁，而是继续写作。一直到1781年的春天，书稿终于写完了，这就是著名的《纯粹理性批判》。

康德沉默了12年，终于写出了震惊世界的名著。海涅说，单单这一部著作，就足以使康德的英名永留人间。

酷评

天才总是诞生在充满敌意的环境里

精品绝不生于一朝一夕，快餐向来只能果腹。追求多产，就势必走向程式化、快餐化，那样的产品是经受不住时间考验的。做学问绝对不是摊派任务，也不是批量生产，没有一种严谨的负责的态度是不会出精品的。

洪昇写《长生殿》，用了9年；左思写《三都赋》，用了10年；曹雪芹写《红楼梦》，用了10年；司马迁写《史记》，用了15年；达尔文写《物种起源》，用了20年；李时珍写《本草纲目》，用了27年；徐霞客写《徐霞客游记》，用了34年；哥白尼写《天体运行论》，用了36年；列夫·托尔斯泰写《战争与和平》，用了37年；摩尔根写《古代社会》，用了40年；马克思写《资本论》，用了40年；歌德写《浮士德》，用了60年……

不必一一细数，我们就会发现，这些大家都不约而同地经历过种种磨难。天才，总是诞生在充满敌意的环境里，“板凳要坐十年冷，文章不写半句空”。做大学问，不但要忍得住寂寞，而且要成为战士，与逆境战斗，与落后的观念战斗。

故事 40

挑水别忘了挖井

从前，有两个和尚分别住在一南一北两座山上的庙里。两座山之间有一条小溪，两个和尚每天都会在同一时间下山去小溪挑水。久而久之，两人便成为了好朋友。

这样不知不觉过了三年。

突然有一天，南山和尚没有下山挑水，北山和尚想："他大概睡过头了吧。"他并不以为意。

谁知第二天，南山和尚还是没有来挑水，第三天、第四天……一个月过去了，北山的和尚担心起来："我的朋友不会是病了吧，我得去探望他。"

没想到他到达南山的时候，正看到他的老友在庙前打太极拳，一点也不像生病的样子。

北山和尚好奇地问："你已经一个月没有下山挑水了，难道你不喝水了吗？"

南山和尚笑着把北山和尚带到了后院，指着一口井说："虽然我们现在年轻力壮能挑水喝，可是等到我们年迈走不动时，我们怎么能指望别人给我们挑水喝呢？所以，三年来，我每天做完功课后，都会抽空挖这口井，从来没有间断过。如今，我终于挖好了，也就不必再下山挑水了。我现在有更多的时间来做其他的事了！"

酷评

为自己挖一口长远之井

这个故事最重要的一点，就是要对未来有一个打算。

200 多年前，两个意大利人为了不必用桶提水而发明建造了管道，从而走上了一条致富的道路，说的也正是这个道理。

世界上的工作有两种，一种叫打工：年轻的时候可以打工，做一天和尚撞一天钟。有可能一天天过去了，你还是在重复劳动，并没有进步，不能过上更好的日子。就像故事里的北山和尚，天天要挑水，永远要挑水。而另一种方法就是创业，就像故事里的南山和尚那样，选择打井，并且持之以恒，终于把河水引到家门口了，从此他就不必再挑水了，方便得太多太多了，省下来的体力和时间完全可以做自己想做的事情。

所以，不要以为自己很年轻，可以打工，要知道，时间往往在不经意间溜走。要创业的话，最好要提前想好完整的计划，让你不需要每天去挑水的时候，仍可以有资源源源不断地过来，就好像打了井以后，井水自然会过来。很多人缺乏的正是长远计划，过一时算一时。但是，我们想问：你到了 60 岁还能挑水吗？所以，创业要趁早，对未来要有一个长远的计划，要想好每一步路应该怎么走，这个计划也要对未来有所估计。

我们要为自己挖一口长远之井。多种一块田，就是为自己多留一条路。

你有没有为自己的未来铺设自己的财富管道？

名人名言

得十良马，不如得一伯乐。

——吕不韦

活的人才教育不是灌输知识，而是将开发文化宝库的钥匙，尽我们知道的教给学生。

——陶行知

天之生人，各有偏长。国家之用人，备有众长。然而投之所向，辄不济事者，所用非所长，所长非所用也。

——司马光

人的天赋就像火花，它既能够熄灭，也能够燃烧起来。而逼使它燃烧成熊熊大火的方法仅有一个，就是劳动，再劳动。

——高尔基

人才乏于上，则有沉废伏匿在下，而不为当时所知者矣。

——王安石

卓越的人的一大优点是：在不利和艰难的遭遇里百折不挠。

——贝多芬

仅有那些晓得控制他们的缺点，不让这些缺点控制自我的人才是强者。

——巴尔扎克

人才那得如金铜，长在泥沙不速朽。愿公爱士如爱尊，毋使埋渣嗟不偶。

——袁枚

荣誉感是一种优良的品质，因而仅有那些禀性高尚进取向上或受过良好教育的人才具备。

——爱迪生

常格不破，人才难得。

——包拯

离开了人才荟萃的中心，呼吸不到思想活跃的空气，不接触日新月异的潮流，我们的知识会陈腐，趣味会像死水一般变质。

——巴尔扎克

人才可遇不可求。人才的鉴别，不能单凭外表，人才效应不能急功近利，领导者不能操之过急。

——松下幸之助

人才者，求之者愈出，置之则愈匮。

——魏源

致天下之治者在人才，成天下之才者在教化。

——胡瑗

治国经邦，人才为急。

——孙中山

人才乏于上，则有沉废伏匿在下，而不为当时所知者矣。

——王安石

精神的浩瀚、想象的活跃、心灵的勤奋：就是天才。

——狄德罗

天才就是这样，终身劳动，便成天才！

——门捷列夫

天才是百分之一的灵感，百分之九十九的血汗。

——爱迪生

有了天才不用，天才一定会衰退的，而且会有慢性的腐朽中归于消灭。

——克雷洛夫

对自己不满足，是任何真正有天才的人的根本特征。

——契诃夫

天生的能力必须借助于系统的知识。直觉能做的事很多，但是做不了一切。只有天才和科学结了婚，才能得最好的结果。

——斯宾塞

“神童”和“天才”，如果没有适当的环境和不断的努力，就不能成才，甚至堕落为庸人。

——维纳

最大的天才尽管朝朝暮暮躺在青草地上，让微风吹来，眼望着天空，温柔的灵感也始终不光顾他。

——黑格尔

任何倏忽的灵感事实上不能代替长期的功夫。

——罗丹

我的箴言始终是：无日不动笔；如果我有时让艺术之神瞌睡，也只为要使它醒后更兴奋。

——贝多芬

在任何一个成功的后面都有着15年到20年的生活经验，都有着丰富的生活经验。要是没有这些经验，任何才思敏捷恐怕也不会有，而且在这里，恐怕任何天才也都无济于事。

——巴甫连柯

"天才就是勤奋"，曾经有人这样说过。

如果这话不完全正确，那至少在很大程度上是正确的。没有非常的精力和工作能力便不可能成为天才。既没有精力也没有工作能力的所谓天才，不过是一个漂亮的肥皂泡或者是一张只能到达月球上去兑现的支票而已。但是，哪里有超乎常人的精力和工作能力，哪里就有天才。

——李卜克内西

形成天才的决定因素应该是勤奋……有几分勤学苦练，天资就能发挥几分。天资的充分发挥和个人的勤学苦练是成正比例的。

——郭沫若

天才是用劳动换来的。

——童第周

科学的灵感，决不是坐等可以等来的。如果说，科学上的发现有什么偶然的机遇的话，那么这种“偶然的机遇”只能给那些有素养的人，给那些善于独立思考的人，给那些具有锲而不舍的精神的人，而不会给懒汉。

——华罗庚

我没有什么特别的才能，不过喜欢寻根刨底地追究问题罢了。

——爱因斯坦

莫愁前路无知己，天下谁人不识君。

——高適

如果是玫瑰，它总会开花的。

——歌德

口袋里装着一瓶麝香的人，不会到十字街头去叫叫嚷嚷让所有的人都知道，因为他身后飘出的香味已说明了一切。

——萨迪

天才的最基本的特性之一是独创性或独

立性，其次是它具有的思想的普遍性和深度，最后是这思想与理想对当代历史的影响。天才永远以其创造开拓新的、之前未闻，或无人逆料的现实世界。

——别林斯基

天才是不足恃的，聪明是不可靠的，要想顺手拣来的伟大科学发明是不可想象的。

——华罗庚

我们全都要从前辈和同辈学习到一些东西。就连最大的天才，如果单凭他所特有的内在自我去对付一切他也决不会有多大成就。

——歌德

来往天地间，人皆有离别。

——孟郊

千里搭长棚，没有不散的宴席。

——曹雪芹

后记

成为“知道”的人

人分四种：不知道自己不知道，知道自己不知道，知道自己知道，不知道自己知道。其实，这也是个人要经历的四个阶段。

如何成为“知道”的人？

我担任大学老师40年，天天“传道授业解惑”，教过的学生数以千计。在与几代学生朝夕相处中，充分了解年轻人的所思所想，常常讲述一些经典故事来引导学生更新观念，也曾出版过十多本故事书，并欣喜地看到，我们的故事被一些知名企业用于内部培训。

通过对毕业生的追踪调查，发现在社会上成长得最好的那部分毕业生，大多不是学校里面传统意义上的好学生，由此引发深入思考。究其原因，不仅仅是智商与情商问题，更在于深层次的认知与观念水平。

为引领当今的年轻读者在最短时间里迅速更新观念，走上成功道路，开创全新人生，我们精选了古今中外的经典故事，从故事的文化背景看，有东方的与西方的故事；从故事的内容看，有禅宗的、道家的，以及幽默故事等。与一般故事书不同，每则故事后面都有详细解读，引发思考。

如今的这套“人生360度·一分钟经典故事”，包括《不知道自己不知道》《有一种人生叫等待》《没有上锁的门》《只有一根柱子》《画好自己的底线》《宽容是件奢侈品》6本。除了故事，除了酷评，我们还汇集了相关的名人名言，配以读者喜闻乐见的漫画。我们希望通过这些内容，揭示人生智慧，传播现代观念，让每一位读者成为“知道”的人。我们坚信：更新观念，是走向成功的必由之路。

在此，感谢参与丛书编写的陈鸣、戴旻理、金怡、金婕、陆雅茹、徐蕾蕾、马骏骥等合作者，尤其要感谢漫画家、篆刻家潘方尔先生与上海辞书出版社文化读物编辑室主任朱志凌先生。

康桥写于 2024 年开学季

图书在版编目(CIP)数据

宽容是件奢侈品 / 康桥编著；潘方尔绘．—上海：上海辞书出版社，2024．—(人生 360 度：一分钟经典故事)．—ISBN 978-7-5326-6264-7

Ⅰ．I14

中国国家版本馆 CIP 数据核字第 2024Y2P920 号

人生 360 度·一分钟经典故事

宽容是件奢侈品

康 桥 编著 潘方尔 绘

策划统筹	朱志凌	**书名篆刻**	潘方尔
责任编辑	朱志凌	**图片编辑**	洪 文
文字编辑	李婉青	**整体设计**	零贰壹肆设计工作室
技术编辑	楼微雯		

出版发行 上海世纪出版集团
上海辞书出版社®(www.cishu.com.cn)
地　　址 上海市闵行区号景路 159 弄 B 座(邮政编码:201101)
印　　刷 浙江经纬印业股份有限公司
开　　本 787 毫米×1092 毫米 1/32
印　　张 7.5
字　　数 93 000
版　　次 2024 年 9 月第 1 版 2024 年 9 月第 1 次印刷
书　　号 ISBN 978-7-5326-6264-7/I·589
定　　价 39.80 元

本书如有质量问题，请与承印厂联系。电话：0576-83170033